PHILIPPE RAMBLER

LE MONDE DU ROCK

GRANDS CRÉATEURS, INSTRUMENTS, MATÉRIELS ET MÉTIERS

Dessins de Jean-François Penichoux

Photographies d'instruments et de matériels de Philippe Paraire

Hachette

50 ans de rock

Le rock, ce n'est pas seulement le rock n'roll, la musique des années 50, celle de Bill Haley, d'Elvis Presley, ou de Chuck Berry. Il y avait avant eux des formes primitives de musique rock. Il y eut après eux des styles et des genres très nombreux, de plus en plus évolués musicalement, que l'on a pris l'habitude d'appeler rock music *aux Etats-Unis et en Angleterre. Ce vocable particulier de* musique rock *recouvre aujourd'hui des réalités mélodiques et rythmiques bien différentes malgré leur évidente parenté. L'histoire du rock est donc celle d'une musique en évolution : le rock quasi symphonique de Pink Floyd a ici sa place, tout comme les hymnes rageurs des punks, les ballades lancinantes du reggae, les chants plaintifs des premiers blues, ou les musiques synthétisées des années 80. La culture rock a aujourd'hui cinquante ans. C'est bien assez pour que l'on puisse en tracer l'histoire.*

Les origines

Au commencement, il y avait, sur les plantations du Sud des Etats-Unis, de pauvres ramasseurs de coton, des travailleurs noirs dont les pères furent les esclaves des Blancs. Dans la région du Delta du Mississippi (il ne s'agit pas du delta du fleuve, mais d'une vaste zone triangulaire fortement peuplée et consacrée à la culture du coton, à cheval sur le sud du Tennessee, l'ouest du Mississippi et l'est de l'Arkansas), les ouvriers agricoles noirs avaient développé, un peu en vase clos, une forme de musique fortement rythmée dont les origines remontaient a temps de l'esclavage.

Ces chants de travail qui ai daient à la besogne se trans formèrent peu à peu, à parti du début du XXe siècle, e ballades lentes ou rapides des tinées aux petits bals de cam pagnes, qui se tenaient géné ralement le samedi soir dan les hameaux les plus reculé du Delta. Les communauté noires, qui n'avaient désor mais que très peu de contact avec les Blancs, pouvaien donner libre cours à leur goû du chant et de la danse.

oueur de banjo (Mississippi, années 30)

Les années 40

En 1937, un jeune guitariste du nom de Robert Johnson enregistrait 29 titres pour le compte d'une maison de disques spécialisée dans la fabrication et la distribution des *race records* (des "disques de race"...). Les Noirs américains avaient tout de suite adopté les nouvelles techniques de reproduction sonore et ils constituaient, malgré leur pauvreté, un public fidèle aux disques folkloriques noirs, qui répandaient dans tout le Sud des Etats-Unis et même audelà, la musique rude des guitaristes chanteurs du Delta.

Le blues rural

Robert Johnson connut un grand succès : ses textes parlent de la vie errante des baladins noirs, des amours de passage, de l'alcool, de la tristesse, du mal du pays, du travail des champs. Sur un accompagnement fortement rythmé par un jeu de guitare particulièrement évolué (il joue en même temps les basses et des arpèges aigus, ce qui donne l'impression qu'il y a plusieurs guitaristes), il chante des couplets composés en vers à peu près réguliers. En fixant pour longtemps la forme du blues (introduction instrumentale, plusieurs couplets, solo instrumental, dernier couplet et fin),

cet artiste a jeté les bases du rock tout entier. Dans le courant des années 60, par exemple, de nombreux groupes de rock reprendront ses chansons, en se contentant d'utiliser des instruments électriques, ce que Johnson, bien entendu, n'avait pu faire: Les Rolling Stones interprètent "Love in vain", Eric Clapton "Crossroads" ainsi que "Ramblin'on my mind", et le dernier morceau chanté par les Blues brothers dans le film de John Landis, en 1980, est "Sweet home Chicago".

Chargement de balles de coton sur les rives du Mississippi (années 20)

Un autre morceau de Robert Johnson, "Dust my broom", si souvent repris par les rockers, sert maintenant de fond musical à des spots publicitaires vantant les mérites d'une marque de café !

Le blues rural de Robert Johnson a donc fixé la forme musicale du rock, en synthétisant bien des influences. Beaucoup d'autres artistes noirs ont connu la célébrité au cours de ces années 40. C'est là qu'il faut chercher les racines de l'explosion rock de la période Presley. Quinze ans avant les rockers blancs, les bluesmen (les joueurs de blues) du Sud avaient trouvé la formule de la musique qui devait devenir la forme d'expression artistique la plus populaire de la seconde moitié du vingtième siècle.

Il ne faut donc pas oublier la dette contractée par le rock envers les artistes trop souvent oubliés : Big Joe Williams et son chant râpeux, Son House, qui popularisa la guitare métallique employée aujourd'hui par Dire Straits, Big Bill Broonzy, dont la dextérité émerveille, Lightnin' Hopkins, rapide comme l'éclair, Leadbelly et sa guitare à douze cordes, Sonny Terry l'harmoniciste, associé à un baladin plein de verve et d'humour, Brownie Mac Ghee, les chanteurs guitaristes aveugles, Blind Lemon Jefferson, Blind Blake, Blind Willie Mac Tell et tant d'autres.

Le blues de Chicago

A partir de 1920, et dans le courant des années 30 la production du coton connut une grave crise aux Etats-Unis. De plus, la renommée des grandes villes attira les ouvriers agricoles noirs dans les grandes villes du Sud : Memphis, Saint Louis, New Orleans. Beaucoup allèrent plus au nord, dans la grande cité industrielle du Middle West, Chicago.

Là, le blues des pionniers rencontra l'électricité : les guitaristes utilisèrent des amplificateurs, abandonnèrent les guitares acoustiques. Lentement, la formation-type du rock se constitua dans les orchestres noirs de Chicago et de Memphis : guitare-chant-basse-batterie. Dès la fin des années 40, Muddy Waters, Elmore James, John Lee Hooker, BB King, Jimmy Reed, Willie Dixon et bien d'autres constituèrent un vaste répertoire dans lequel les rockers blancs des années 50 et 60 puisèrent très fréquemment.

Le boogie woogie

Mais en ces temps reculés où l'électricité ne l'avait pas encore partout emporté, un instrument majeur parvint à maintenir sa domination : le piano. Grâce à des interprètes d'exception comme Jimmy Yancey, Albert Ammons, Pete Johnson, Meade Lux Lewis, Count Basie, Art Tatum ou Oscar Peterson, il put encore sans électrification faire danser des salles entières sur des mélodies sautillantes, fortement rythmées par les basses "ambulantes" du boogie woogie. Genre dérivé du blues rural, inspiré par le swing et la nécessité de faire danser, le boogie domina l'après-guerre et fut le genre de prédilection des grands pianistes de la première vague du rock n'roll, noir ou blanc : Fats Domino et Jerry Lee Lewis ont un jeu très fortement marqué par le boogie woogie.

NB. Un glossaire définissant genres musicaux et termes techniques se trouve en page 78.

Les années 50

Dès le début des années 50 les artistes noirs commençaient à utiliser l'expression "rock n'roll" dans leurs chansons. Peu à peu, ce genre de ballades rythmées construites sur trois accords, utilisant piano, basse, batterie, guitares électriques, prit le nom de "rythm n'blues" lorsqu'il était joué par des orchestres noirs et de rock n'roll lorsque c'étaient des Blancs qui l'interprétaient.

En 1954, "Rock around the clock" de Bill Haley lança un style, le rockabilly, qui devait faire recette : Elvis Presley devint très vite le leader du mouvement, reprenant de manière provocante et sauvage les chansons du répertoire noir. 1954 et 1955 virent ainsi la reconnaissance d'un style de musique qui était né un peu plus d'une quinzaine d'années auparavant.

Le rock n' roll des "gars du Sud"

Tous les rockers blancs de la première génération étaient des sudistes pur-sang, élevés

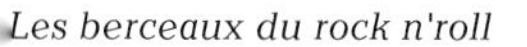

Les berceaux du rock n'roll

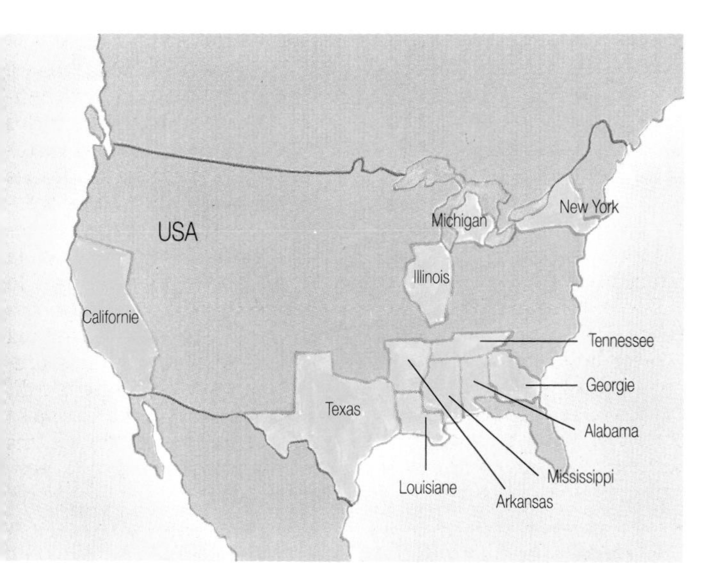

au milieu des chants d'église, attirés par la musique d'une communauté pourtant tenue à l'écart par la ségrégation raciale. Elvis Presley est né à Tupélo, dans le Mississippi ; Jerry Lee Lewis en Louisiane, Buddy Holly au Texas, Gene Vincent en Virginie, Carl Perkins dans le Tennessee, Roy Orbison au Texas, Johnny Cash en Arkansas. Quant à Eddie Cochran et aux Everly Brothers, respectivement nés dans le Minnesota et à Chicago, ils font figure de "nordistes", mais viennent d'Etats fortement marqués musicalement par les migrations noires des années 30 et 40.

Le "rythm n' blues", ou "rock n' roll noir"

Bien que l'on attribue la paternité du rock n'roll aux artistes blancs (Bill Haley, Elvis Presley, Carl Perkins, Jerry Lee lewis), il est nécessaire de comprendre que dans l'Amérique ségrégationniste des années 50, aucun chanteur noir n'aurait pu toucher durablement la totalité du public blanc américain. Il y avait donc, pour des raisons commerciales, deux hit parades : celui des Blancs, fortement marqué par les impératifs du marché blanc, et celui des Noirs qui, soutenu par les radios noires seulement, ne pouvait raisonnablement espérer toucher plus de 10 à 15 pour 100 de la population américaine.

L'industrie américaine du disque continua d'agir comme à l'époque des *race records* : elle assura systématiquement la promotion des artistes blancs, qui se contentaient le plus souvent de reprendre des chansons de Noirs, et abandonna au ghetto du hit-parade rythm n' blues les vrais créateurs du genre : Ray Charles, Chuck Berry, Fats Domino, Little Richard, Big Joe Turner ou Bo Diddley.

Pour une bouchée de pain, les imprésarios blancs rachetaient à leur gré les droits des créations des artistes noirs : Bill Haley fit fortune avec "Shake, rattle and roll" de Big Joe Turner, Presley trouva la célébrité dès son premier 45 tours grâce à un air de Arthur Big Boy Crudup, bluesman du Mississippi : "That's all right, mama"."Tutti frutti" de Little Richard fut également repris par Presley, puis par Pat Boone, de manière très édulcorée. Ray Charles ("What'd I say") Fats Domino ("Blueberry hill"), Chuck Berry ("Johnny B. Goode") durent se battre pour préserver leurs droits d'auteurs.

Il fallut attendre quelques années avant que l'origine réelle du rock n'roll soit connue. Certains rockers blancs admettaient en privé ue le genre des chansons u'ils interprétaient était originellement noir, mais rares furent à cette époque ceux qui acceptèrent d'attribuer à leurs véritables créateurs les airs qui avaient assuré leur célébrité.

Les rockers anglais de la décennie suivante, Rolling Stones, Clapton, Beatles, eurent une attitude diamétralement opposée et, grâce à eux, les artistes noirs de la première vague rock connurent un regain de célébrité.

Une marque prestigieuse Martin and Co

Les années 60

Le rock n' roll avait dès ses débuts été percu comme une forme de rébellion adolescente face au système américain. Tandis que Marlon Brando et James Dean cristallisaient au cinéma cette attitude de refus, Elvis Presley avec ses déhanchements, Jerry Lee Lewis avec l'excentricité de son jeu de scène, Gene Vincent avec son blouson noir contribuèrent à donner au genre musical nouveau une image assez négative aux yeux des adultes de l'époque.

Aussi, dès la fin des années 50, des artistes à l'allure plus sage, comme Ricky Nelson, Johnny Burnette ou les Everly brothers mirent l'accent sur l'aspect "blanc" du rock n'roll. Abandonnant les rythmes trop saccadés, spécialisés dans les ballades plus lentes et le travail des voix, ils préparèrent la voie aux grands mélodistes américains que furent les Beach Boys ou Simon et Garfunkel.

La musique pop anglaise

Mais en même temps que s'assagissait la première génération du rock, un groupe de quatre musiciens anglais fit irruption sur la scène rock mondiale : les Beatles, venus de la ville ouvrière de Liverpool, imposèrent un style nouveau, à la fois rythmé, harmonieux et sage : la *pop music*.

Parallèlement au succès des Beatles, des groupes plus marqués par le blues et le rock américains parviennent à s'imposer : ainsi les Rolling Stones, les Who, les Kinks et bien d'autres réussirent à prendre la place laissée vacante par les premiers rockers.

Naissance d'une culture rock

A partir de 1963, l'Amérique subit plusieurs chocs qui seront déterminants pour so histoire : l'affaire des fusées d Cuba, à la fin de 1962, avai mis en évidence les risque d'une guerre nucléaire immi nente avec l'Union soviétique

Puis le président John Ken nedy, assassiné à Dallas, laiss derrière lui un vide politiqu considérable. Parallèlement, l minorité noire exigeait, parfoi violemment, l'application d ses droits constitutionnels

Miste
Bob Dyla
(CBS Record

Les grands tubes anglais des années 60

Bien entendu, ce sont les Beatles qui ont dominé les hit parades de la musique anglaise au cours de cette période: "Yesterday", "Michelle", "Help", "Strawberry fields forever", "Hey Jude", "Get back", "Come together" sont devenus des classiques, repris par des dizaines d'artistes: Ray Charles en personne a interprété "Yesterday" et "Eleanor Rigby", Otis Redding a donné une version endiablée de "Day tripper".

Les Rolling Stones connurent de grands succès, avec un style plus violent : "Satisfaction", "Jumpin'jack Flash", "Let's Spend the night together", "Honky tonk women", "Sympathy with the devil" ont marqué la période.

Les Who crièrent leur haine du "vieux monde" dans "My generation", les Kinks atteignirent les sommets des hit parades avec "Sunny afternoon", "Waterloo Sunset" et surtout "You really got me".

Plus fidèle à l'esprit du blues, Eric Clapton devint le guitariste soliste vedette du groupe de John Mayall, les "Bluesbreakers" puis fonda Cream, qui fut célèbre grâce à "Crossroads".

Joe Cocker, fortement influencé par Ray Charles donna une interprétation très rugueuse de "With a little help from my friends" qui fut un grand succès.

Maîtres de guerre

Venez, maîtres de guerre
Vous qui fabriquez les fusils
Vous qui fabriquez les avions de la mort
Vous qui fabriquez les grosses bombes
Vous qui vous cachez derrière des murs
Vous qui vous cachez derrière des bureaux
Je veux seulement que vous sachiez
Que je peux voir à travers vos masques

Vous qui n'avez jamais rien fait
Que construire pour détruire
Vous jouez avec mon monde
Comme si c'était votre petit jouet
Vous mettez un fusil dans ma main
Et vous disparaissez de ma vue
Et vous faites volte-face et courez plus loin
Quand volent les balles rapides

Comme Judas de l'ancien temps
Vous mentez vous trompez
On peut gagner une guerre mondiale
Vous voulez que je le croie
Mais je vois dans vos yeux
Comme je vois dans votre cerveau
Comme je vois dans l'eau
Qui coule au fond de mon égout

Vous armez les gâchettes
Pour que les autres tirent
Ensuite vous vous asseyez en arrière
et regardez
Quand le décompte des morts s'élève
Vous vous cachez dans vos résidences
Pendant que les sang des jeunes gens
Coule de leur corps
Et s'enterre dans la boue

Vous avez provoqué la pire peur
Qui puisse être suscitée
La peur de mettre des enfants
Au monde
Pour avoir menacé mon bébé
Qui n'est pas né et n'a pas de nom
Vous ne valez pas le sang
Qui court dans vos veines

Mais qu'est-ce que j'en sais
Pour parler sans que ce soit mon tour
Vous pourriez dire que je suis jeune
Vous pourriez dire que je suis inculte
Mais il y a une chose que je sais
Bien que je sois plus jeune que vous
Même Jésus ne pardonnerait jamais
Ce que vous faites

Laissez-moi poser une question
Votre argent est-il si puissant
Pourra-t-il vous acheter un pardon
Pensez vous qu'il le pourrait
Je pense que vous verrez bien
Quand la mort lèvera son impôt
Que tout l'argent que vous avez gagné
Ne rachètera pas vos âmes

Et je souhaite que vous mourriez
Et que votre mort vienne vite
Je suivrai votre corbillard
Un pâle après-midi
Et je regarderai jusqu'à ce que vous
soyez descendus
Sur votre lit de mort
Et je resterai debout sur votre tombe
Jusqu'à ce que je sois sûr que vous
êtes morts

Bob Dylan, 1963
(Traduction Ph. Paraire)

Dans le même temps, la guerre du Vietnam commençait. De plus en plus de jeunes appelés américains se retrouvèrent en train de combattre dans un pays lointain un ennemi insaisissable. En 1968, il y avait un million de soldats américains au Vietnam et les pertes en vies humaines s'alourdissaient sans cesse.

Le refus de la guerre, l'aspiration généreuse à l'égalité des races, la volonté de venir à bout des tabous et des interdits poussèrent tout d'abord les jeunes intellectuels des universités américaines à résister à ce qu'ils appelaient le "Système". Vivant en communauté, refusant le mode de vie de leurs parents, cultivant toutes les désobéissances à l'Etat, les étudiants contestataires, d'abord isolés, parvinrent à faire passer leur message à toute la nation grâce à quelques artistes qui furent rapidement très populaires.

Le leader du mouvement de protestation fut Bob Dylan, poète tourmenté, violemment individualiste, au ton rageur et aux textes acides. Derrière lui, une pléiade de grands artistes chanta la révolte de la jeunesse américaine : Joan Baez, sa compagne d'un temps, les Byrds, dont la version de "Mister tambourine man" avait précisément rendu Dylan célèbre, puis les Doors, avec leur chanteur vedette, mi-ange mi-démon, Jim Morrison, Grateful Dead, leaders du mouvement hippie, Jefferson Airplane, fers de lance du rock californien, adeptes des drogues dures, Crosby, Stills Nash and Young, The mama's and the papa's, Peter, Paul and Mary, Simon and Garfunkel tous, d'une manière ou d'une autre, participèrent à la profonde transformation morale du peuple américain.

En quelques années de tâtonnements, gavé d'expériences de toutes sortes, le rock devint un vrai phénomène culturel. Grâce à Bob Dylan et au mouvement de réflexion qu'il lança, le rock commença à avoir des textes intelligents et travaillés. Mélodies rythmes, paroles poétiques ou poèmes engagés, le rock avait quitté le domaine limité de la simple chansonnette ou de la ballade dansante.

A la fin des années 70, le rock pouvait déjà se vanter d'avoir produit quelques-uns des plus beaux poèmes du siècle. Il était devenu un véritable phénomène de société et pas seulement aux Etats-Unis, mais dans le monde entier.

Tradition et avant-garde

Les ballades gentillettes des Beach Boys, la musique sophistiquée des Beatles, les poèmes inspirés de Bob Dylan et de Jim Morrison devinrent une forme esthétique dominante grâce au talent des instrumentistes qui les interprétaient. Ainsi, le son de "Barbara Ann" ou de "I get around" des Beach Boys ne put être obtenu que grâce au travail de techniciens de génie; la qualité de l'album *Sergent Pepper* des Beatles est due en partie à l'arrangeur, George Martin. Bob Dylan sut également trouver des musiciens de rock capables de mettre en valeur ses nélodies et ses textes ; grâce au groupe canadien The band, l parvint à toucher le public ock, initialement peu préparé à écouter des textes difficiles. Quant au groupe de Jim Morison, il serait resté sans doute marginal sans le soin apporté à la recherche sonore et au ravail scénique.

Ces quelques exemples nontrent que, sans les recherches techniques menées par quelques *guitar heroes* qui nventèrent alors véritablement le rock commercial des années 70, la musique rock serait demeurée aussi dramatiquement simpliste que le ockabilly des pionniers.

Au lieu de cela, grâce à l'exploitation des possibilités techniques des guitares électriques et particulièrement de a *Fender Stratocaster*, grâce à a mise au point, au jour le jour, des pédales d'effet et des premiers synthétiseurs, grâce à l'amélioration des techniques de sonorisation et d'enregistrement, le rock quitta le domaine du spectacle artisanal pour devenir une industrie du *show*, au sens professionnel du terme.

En Angleterre, tout commença avec ce que l'on appela le *blues boom* : un grand nombre de rockers se mirent à l'école des bluesmen de Chicago qui, lorsqu'ils venaient en tournée en Europe, étaient accueillis triomphalement. Les Rolling Stones, les Them, les Yarbirds, John Mayall, Alexis Korner, Eric Clapton, Jeff Beck, Jimmy Page, Mick Taylor affirmèrent haut et fort leur filiation, revendiquèrent et s'approprièrent le blues des aînés.

C'est Jimi Hendrix, Noir américain expatrié en Angleterre, qui assura la transition entre les puristes du rock blues et les tenants d'une musique avant-gardiste, le rock progressif. Du blues, Hendrix tirait les accents torturés et les sons hargneux, du jazz il prenait la complexité harmonique; en même temps que le rock progressif (Soft Machine, Pink Floyd, King Crimson, Genesis) il comprit la nécessité de trouver de nouveaux sons.

Le rock des années 70 est sorti tout entier des recherches d'Hendrix et du purisme de Clapton ou de Canned Heat.

Les années 70

Le rock commercial

Le début de la décennie vit encore apparaître un nombre impressionnant de groupes de rock, qui se mirent à travailler dans toutes les directions définies par les grands créateurs des années 60. Peu à peu, la musique rock se diversifia en genres, en sous-genres, tandis que naissait parallèlement une véritable critique : les magazines, qui connurent à cette époque un essor très important, orientèrent la réflexion des groupes et du public. Lentement, la jeunesse américaine et européenne prenait conscience du fait que le phénomène rock lui appartenait en propre. De cette époque datent les grands rassemblements, les tournées géantes, les records de vente de disques, l'industrie du tee-shirt de concert et du badge.

Pourtant la plus grande confusion semblait régner : à la suite de la séparation des Beatles, de la mort d'Hendrix et de celle de Jim Morrison, le monde du rock sembla éclater en une myriade de chapelles. Elles sont si nombreuses que l'on peut seulement nommer ici les courants principaux, qui se disputèrent jusqu'en 1977 les faveurs du public.

A côté des groupes à forte audience, toujours assurés d'un grand succès à cause des légendes qui leur étaient attachées (Rolling Stones, Led Zeppelin, Grateful dead, Dylan and the Band, Wings, Pink Floyd), quelques groupes parvinrent à la notoriété mondiale, dans des genres bien différents. Fleetwood Mac par exemple abandonna très vite le rock blues de ses débuts pour mettre au point une musique très sophistiquée sur le plan mélodique et choral, qui trouva la consécration avec *Rumours*, chef-d'oeuvre du folk rock des années 70 et qui fut l'album le plus vendu de la décennie après l'indétrônable *Dark side of the moon* de Pink Floyd. Status quo garda au contraire la recette d'un boogie-rock dynamique et fortement marqué par le heavy metal et le blues ; ils trouvèrent la célébrité mondiale avec "Rockin'all around the World". Ce groupe à lui seul a vendu 35 millions d'albums, dans le courant des seules années 70.

*

Le son du rock progressif d'Hendrix et du hard rock de Led Zeppelin donna, quant à lui, naissance à bien de

imi Hendrix, un explorateur insatiable. Photo D. Redfern / Stills.

groupes. Le plus représentatif fut certainement Deep Purple, dont "Smoke on the water" fut l'unique - mais éclatant - succès. Dans la lignée du hard rock, le groupe australien AC/DC marqua la fin des années 70 avec un son rageur et des solos fulgurants, tandis que le groupe californien Van Halen développait des records de vélocité. Quelques groupes, pourtant, continuèrent dans le sens de la tradition : pendant quelques années, Canned Heat, Johnny Winter, Rory Gallagher restèrent fidèles à leurs débuts. Creeden ce Clearwater Revival rivalis avec les plus grands grâce une approche minimaliste textes simples, mélodies fa ciles, rythme pesant, solo bien placés. La recette de premiers rocks, appliquée au techniques et aux sons des an nées 70 en fit l'un des groupe les plus populaires de la dé cennie. Lynyrd Skynyrpour suivit tranquillement dan la voie du rock sudiste, comm Eagles le fit dans celle du roc *west coast*. Parallèlement quelques groupes jouèrent l

Les guitar heroes

Cette expression désigne en anglais les vrais maîtres de l'instrument.

La guitare électrique est un instrument qui sonne facilement, mais avec lequel il est difficile d'être à la fois mélodique, rapide et précis. Certains guitaristes ont repoussé à des limites impensables les possibilités de la guitare électrique : Jimi Hendrix, extraordinairement rapide, utilisait toutes sortes d'harmonies complexes et de sons étranges. Eric Clapton devint l'un des grands maîtres du blues rock. Son jeu souple et naturel lui valut le surnom de Slow hand *("main lente"). David Gilmour, de Pink Floyd, sut tirer de son instrument des sons purs et aériens, tandis que Jeff Beck et Jimmy Page jeterent les bases du hard rock.*

Les précurseurs du punk et de la New wave

Initialement qualifiés de "rockers décadents", quelques musiciens font figure d'initiateurs du mouvement de remise en question cristallisé par les Sex Pistols : Lou Reed, dès 1973, jetait les bases d'une attitude rock nouvelle, désespérée et nihiliste, tandis que son ami David Bowie scandalisait l'Angleterre en créant sur scène des personnages d'androgynes destinés à choquer le puritanisme ambiant. D'autres jouèrent la carte du scandale : Iggy Pop, adeptes des drogues dures, les New York dolls, ennemis de tout ordre établi, font eux aussi figure d'ancêtres du rock punk et de la New wave.

carte du *rock FM*, marquée par une approche très professionnelle : joli son, belles paroles, albums superbement enregistrés. Dire Straits, Rod Stewart, Mountain, Foreigner. Supertramp, Yes et Roxy music, par exemple, imposèrent au monde entier une musique dont la créativité s'enlisait quelque peu dans la perfection sonore.

La vague punk

D'une certaine manière, le rock avait perdu son âme dans les concerts géants et les hit parades plus ou moins préfabriqués des radios FM d'Amérique et d'Europe.

L'énergie initiale du rock s'était diluée dans un succès trop vite obtenu, mal géré, mal digéré : les vieilles stars de la rébellion des années 60 se déplaçaient désormais en Rolls Royce ou dans leurs jets personnels, produisant de temps à autre un album alimentaire destiné à payer leurs impôts ou leurs divorces.

Pendant ce temps, la crise économique faisait rage en Europe. C'est d'Angleterre que devait venir, à partir de 1976-1977, le sursaut libérateur qui tira le rock assoupi de sa torpeur.

Les punks balayèrent avec rage les habitudes routinières du rock classique. *Dieu bénisse la reine et son régime fasciste* ! hurlent les Sex Pistols, tandis que Clash proclame haut et fort : *Plus de Presley, de Beatles ni de Rolling Stones*. La révolution, cette fois, se fait à l'intérieur du monde rock. Les Sex Pistols, les Clash, Richard Hell, Television, les Buzzcocks, les Damned, Siouxie and the Banshees, les Stranglers provoquent une profonde remise en question de la routine du rock commercial.

Même si l'explosion punk ne dura que quelques années, elle a déterminé, par son action décapante, la forme du rock moderne, en donnant naissance à la *New Wave*, la "Nouvelle Vague".

Les années 80

New wave et cold wave en Angleterre

Les punks ont entre 1977 et 1980 balayé les habitudes du *rock bizness* anglais. La contestation en profondeur des stars installées (Rolling Stones, Pink Floyd, Genesis, Fleetwood Mac, Status quo) sur le marché européen aboutit à les démoder rapidement aux yeux de la jeunesse des années 80. D'un seul coup, l'habillement changea : vêtements noirs, pantalons serrés en bas, pardessus sombres et surtout, cheveux courts remontés vers le haut remplacèrent jeans, blousons de toile, bottes, cheveux longs, les symboles de la période précédente.

Mais l'extrémisme de la philosopie punk, trop violemment contestataire, le caractère rude et simpliste de leur musique ne pouvaient durablement l'emporter, à moins de s'adoucir, d'une manière ou d'une autre.

C'est ce que sut faire le nouveau mouvement, directement issu du *punk rock*, la New wave, qui domina musicalement les années 80 en Europe. La plupart des grands groupes punks disparurent dans la tourmente, épuisés par des expériences sans lendemain et des divergences musicales graves : les Sex Pistols se séparèrent ainsi que Clash. Television, les Buzzcocks, Richard Hell sont aujourd'hui oubliés Siouxie a très souvent changé de musiciens et les Stranglers ont très souvent changé de musique...

La New wave est née de cet épuisement de la musique punk et d'une volonté de produire un rock moins primaire Un grand nombre de musiciens de la New wave ont commencé à se faire connaître

Robert Smith, leader du groupe The Cure, incarne à merveille l'esprit de la New wave. Photo Claude Gassian.

en suivant le sillage des grands groupes historiques du rock punk : Robert Smith, leader de Cure a participé à des concerts avec les Sex Pistols ; U2, célèbre groupe irlandais avait à ses tout débuts une image punk, tout comme Simple Minds et bien d'autres groupes qui furent fortement influencés par le rock punk dont ils surent cependant assez rapidement se distinguer. La fin des années 70 et le début des années 80 fut la grande période de la première New wave, avec des groupes très créatifs et soucieux d'originalité : Police, fortement influencé par le reggae, B 52'S,

Pretenders, Echo and the Bunnymen, Joy division, The Jam et bien d'autres imposèrent au rock européen puis mondial le tournant décisif qui remit en cause de manière définitive la suprématie des grands groupes issus des années 60.

Actuellement, les groupes de la New wave font figure de "grosses machines" : les tournées de Cure, U2, Simple Minds et David Bowie rivalisent sans mal avec celles des Rolling Stones.

Rock FM, musique funk et dance music aux Etats-Unis

La New wave n'est pas parvenue à détrôner les formes traditionnelles de la musique rock, très durablement installée aux Etats-Unis : elle constitue en effet un élément profondément populaire, essentiel de la culture américaine.

L'Amérique reste dominée par le rock classique (issu du rock n' roll des années 50, du *folk rock* et du *heavy metal* des décennies suivantes) et fortement influencée par la musique noire moderne qui synthétise tous les jalons de la musique du peuple noir : dans la *funk music* de Michael Jackson et de Prince, il y a les racines du blues, de la *soul*, les premiers airs funk et aussi des instruments électroniques.

C'est la raison pour laquelle les radios FM et les stations de télévision musicales diffusent aux Etats-Unis à longueur de journée des clips de Toto, Foreigner, Dire Straits, Springsteen et même des Rolling Stones : quelles que soient les différences qui séparent ces groupes, ils demeurent fermement installés sur le rock traditionnel, avec ses guitares électriques et ses rythmes entraînants, ses paroles peu engagées, d'inspiration quotidienne.

Island Records

Parallèlement, les créateurs noirs se taillent la part du lion: les Américains de toutes races ont toujours dansé sur des musiques noires. La domination de Michael Jackson et de Prince confirme ainsi une habitude acquise.

Plus récemment, les chanteurs de *rap* et de *house music* ont poussé à l'extrême ce souci de produire une musique entièrement destinée à la danse.

Après cinquante années de crises, d'évolution et de tâtonnements, le rock a acquis un statut culturel incontestable. Il a participé aux combats que chaque génération a choisi de mener, de la simple révolte adolescente à la contestation radicale, en passant par les grands concerts de charité, de défense des droits de l'homme, ou la condamnation du régime d'apartheid. Partis à l'origine des structures rudimentaires du blues rural, les artistes rock ont, en un demi-siècle, défini les bases d'une culture musicale qui est désormais planétaire : tandis que les bulldozers abattaient en novembre 1989 le mur de Berlin, des foules de jeunes Allemands, massés de part et d'autre de la frontière, chantaient en choeur "The wall" de Pink Floyd...

L'album le plus vendu des années 80 : Thriller de Michael Jackson (EPIC, CBS). CBS Records.

Les grands créateurs du rock

Qu'est-ce qu'un grand groupe ? Est-ce la notoriété publique qui doit se porter garante de son importance ? Est-ce plutôt l'avis des connaisseurs, animateurs, commentateurs et critiques spécialisés de tous horizons ? Est-ce seulement le tempérament de chacun qui peut se faire juge de la valeur d'un style, d'un artiste, d'une musique ?
Peut-on décemment, en si peu de place, passer en revue - sans être accusé de parti pris - un nombre limité de groupes et affirmer que tous les créateurs qui ont compté sont bien là ? C'est évidemment difficile. Aucun jugement esthétique ne peut se constituer en dehors des préférences personnelles, mais aucun ne doit faire l'économie de la tentative, au moins, d'être équitable.
On dira donc, pour aller au plus pressé, qu'un grand créateur, dans la musique rock, c'est un musicien ou un groupe de musiciens qui a su trouver un son et un style reconnaissables rapidement et sans équivoque, qui a pu imposer quelques-unes de ses créations comme des classiques et dont les recherches demeurent un modèle ou une référence pour les musiciens du rock d'aujourd'hui et de demain.

Robert Johnson

1937 marque sans doute les vrais débuts phonographiques de la musique rock. Avec sa voix voilée et sa guitare métallique, un guitariste du Mississippi parvient à se hisser au-dessus des traditions folkloriques noires et blanches, qu'il réussit à synthétiser. Techniquement, il utilise des onglets métalliques et joue, à la manière du guitariste blanc Merle Travis, le solo et l'accompagnement avec trois doigts et le pouce.

Sur le plan mélodique, il se constitue un répertoire personnel distinct de celui de ses modèles, Son House, Charley Patton, Texas Alexander,

Le véritable créateur du rock n' roll : Chuck Berry. Photo Claude Gassian.

Blind Blake, Blind Lemon Jefferson, Tommy Johnson.

Enfin, la rigueur de ses compositions va faire école : il a donné au blues, puis au rock, une structure type (introduction instrumentale, plusieurs couplets, solo instrumental, dernier couplet et fin).

"Sweet home Chicago", "Dust my broom", Love in vain", et "Crossroads" ses compositions les plus connues, sont devenues, trente ans après sa mort, des standards du rock.

Muddy Waters

Mac Kinley Morganfield : un nom inconnu du public, pour l'un des plus grands guitaristes chanteurs de tous les temps. Son surnom, Muddy Waters ("eaux boueuses") évoque autant le Mississippi, au bord duquel il est né, que sa voix rocailleuse qui semble rouler, tumultueuse et puissante, comme les eaux du fleuve. Emigré à Chicago, parce qu'il ne faisait pas bon être noir dans le Sud profond des années 30, Muddy Waters a électrifié le blues rural. En compagnie de quelques autres il a ainsi défini les bases fondamentales de la musique rock.

Dès la fin des années 40, il se fit connaître du public noir avec "I can't be satisfied", "Kind Hearted woman" puis "Rollin'stone" (1950), "Honey bee" (1951), et surtout "Mannish boy" (1955), qui le rendit réellement célèbre.

Présenté dix ans plus tard par les rockers anglais comme l'un des pères du blues et du rock, Muddy Waters a touché alors le public blanc et fait une seconde et très brillante carrière. Chacune de ses apparitions publiques fut, jusqu'à sa mort (survenue en 1983), saluée comme un événement majeur.

Little Walter

Avec un harmonica, il pouvait tout faire, y compris ce que personne n'avait jamais osé tenter. Grâce à lui, un instrument à deux dollars devint le *Mississippi saxophone*, le *saxophone du pauvre*. Cet instrument, naturellement limité dans le nombre de ses notes et de ses possibilités harmoniques, acquit ainsi ses lettres de noblesse.

Mais Little Walter avait aussi une voix puissante et expressive. Il participa à Chicago, dans les années 40 et 50, à la définition de la formule du blues rock. Tous les rockers anglais devaient ensuite tenter de le copier. C'est grâce à sa dextérité extraordinaire que l'harmonica, initialement associé au folklore américain blanc

.e son du blues : un harmonica Hohner "Super Vamper" des années 60

lu Centre-Ouest, devint l'un les instruments majeurs du »lues rock anglais dans les an- iées 60. Les Rolling Stones, es Beatles, les Animals, les Kinks ont utilisé les tech- iiques de Little Walter. Au- ourd'hui encore, des groupes :omme Eurythmics continuent l'utiliser un instrument limité lans ses moyens mais extrê- nement riche dans ses capaci- és d'exprimer une émotion orte et vraie.

Ray Charles

Né dans une petite ville de la :ampagne géorgienne, le petit Ray s'intéresse très tôt à la nusique. A cinq ans il joue léjà sur le piano de son oncle. Mais, atteint d'un glaucome ncurable, il perd la vue rapi- lement et passe son enfance lans une institution de l'Etat 'oisin de Floride. Son adoles- cence est marquée par un fu- rieux désir de réussir, afin d'éviter, comme il le dit dans son livre (*Le blues dans la peau*, Presses de la Renaissan- ce), le chien, la guitare et la canne...

Ce triple refus va le pousser à travailler le piano et il affir- me même qu'il était capable de faire du vélo et de la moto sans aide, malgré le danger. Ray Charles en effet, pour évi- ter le sort des guitaristes men- diants aveugles qui sont alors innombrables, joue dans des groupes de jazz et tient le rôle du pianiste chanteur.

Poussé par les rythmes nais- sants du rock, sans jamais abandonner l'influence majeu- re du blues et du jazz (Nat King Cole est son musicien préféré), il va développer un type de rock mêlé de jazz, dis- tinct des productions de l'époque. "I got a woman" puis "What 'd I say" ainsi que "Lonely avenue" et "Hit the road, Jack" sont d'énormes succès, qui le mettent à la hauteur des stars du temps. Rapidement reconnu comme un musicien majeur, il étend sa renommée au monde entier avec "Georgia on my mind" et "Born to lose".

Mais en ce début des années 60, les modes changent rapidement. Les rockers de la première vague sont rapidement balayés par la *pop music* anglaise. Pour Ray Charles, la reconversion est difficile. Pourtant son éclectisme et son savoir-faire viendront à bout de quelques reprises de chansons des Beatles ("Yesterday" "Eleanor Rigby"), et même de Nicoletta ("The sun died") ou Charles Aznavour ("La mamma").

Reconnu officiellement aujourd'hui comme un génie, et d'ailleurs surnommé *The genius* de la musique rock, jazz et soul, totalement guéri de ses problèmes de drogue et jouissant d'une vie privée enfin assagie, Ray Charles poursuit une carrière internationale honorable et parvient encore, à près de soixante ans, à se placer dans les hit parades (avec Dee Dee Bridgewater).

Les pianistes du rock n'roll

Les années cinquante ont vu la naissance de la guitare électrique, qui donna un son au rock. Mais quelques artistes majeurs restèrent fidèles au piano.

Fats Domino, pianiste de boogie woogie de La Nouvelle Orléans connut d'énormes succès avec "Blueberry Hill", "Aint that a shame" et "I'm walking".

Little Richard, pianiste géorgien, est resté célèbre grâce à ses grandes compositions ("Tutti Frutti", "Lucille", "Long tall Sally").

Jerry Lee Lewis, un Blanc cette fois, originaire de Louisiane, a mené une brillante carrière grâce à quelques chansons devenues depuis classiques : "Whole lotta shakin' goin' on, "Great balls of Fire", ou "Matchbox", repris au répertoire du blues.

Chuck Berry

Natif de Saint Louis, grande ville du Sud, Chuck Berry obtient d'abord un diplôme de coiffeur. Malgré la réussite financière de sa famille, il demeure victime de la ségrégation raciale et ne peut se produire que dans les bars du ghetto noir. Peu à peu, grâce à un talent précoce de parolier et de compositeur , il est remarqué par les frères Chess, directeurs d'une maison de disques de Chicago. La grande cité du Middle West est alors le tremplin de tous les talents noirs, le blues y est florissant et le public nombreux.

Mais Chuck veut toucher le public blanc, qui est le seul rentable, parce qu'il est plus riche et plus nombreux que celui des ses frères de couleur. Chuck Berry parvient alors à définir un style reconnaissable entre tous : paroles humoristiques, jeu de scène acrobatique ou cocasse (la célèbre *marche du canard*), accompagnement à la guitare fondé sur de courtes et très reconnaissables séquences de notes (l'introduction de "Johnny B. Goode", le solo de "Carol").

En réalité, Chuck Berry a presque tout inventé et fut mille fois copié. Mais comme la ségrégation raciale était à ce moment la règle aux Etats-Unis, il ne put jamais être officiellement reconnu comme le roi du rock. Elvis Presley, sudiste bon teint et donc plus facile à vendre, lui fut préféré.

Chuck Berry a gardé une rancune tenace contre le monde du rock blanc, malgré la reconnaissance officielle que les rockers anglais (Rolling Stones, Beatles, Animals, Clapton, Who) sont parvenus à lui obtenir. Dans un film récent, *Hail Hail Rock n'roll* de Taylor Hacford (1988), tourné à l'initiative de l'un de ses admirateurs, Keith Richards, guitariste des Rolling Stones, il s'exprime longuement sur ce sujet.

Elvis Presley

Elvis Aaron Presley est né à Tupelo, Mississippi, dans une famille très modeste. Son père, coupable d'avoir fait un petit chèque sans provision, est inquiété par la police. Après avoir perdu son emploi, il part avec sa femme et son fils pour Memphis, la grande capitale du Sud profond.

Le jeune Elvis travaille dans une entreprise de transport, mais ce qui l'intéresse, c'est la musique. Au service religieux du dimanche, il a appris à chanter. En écoutant les radios noires, il a pris le goût des mélodies fortement rythmées du rythm n'blues.

1955 : il tente sa chance chez Sam Phillips, propriétaire

d'une petite maison d'enregistrement, *Sun Records*. Avec un vieux blues de Arthur "Big Boy" Crudup, il grave son premier 45 tours : "That's all right, mama" est immédiatement un succès.

Sam Phillips cherchait *un petit gars du Sud qui saurait chanter comme un Noir*. Il l'a trouvé. Le rockabilly, lancé par Bill Haley l'année précédente, va devenir rock n' roll. Son roi est acclamé par des foules sans cesse croissantes d'adolescents en folie. Les succès se suivent sans discontinuer jusqu'au départ de celui qu'on a surnommé le "King" pour le service militaire, en 1960. Presley n'a rien composé, mais il fut un interprète d'exception et, par-dessus tout, a défini le "style rebelle" du rock n' roll, parallèlement à Marlon Brando et James Dean qui l'avaient imposé, eux, à Hollywood.

Blousons de cuir ou chemises noires, vestes pailletées, moue dédaigneuse pour chanter en se déhanchant sur le

1960 : une image très symbolique de la défaite du rock n'roll, Elvis Presley le rebelle part pour le service militaire.

Photo Sipa-Press

chansons des autres ("Mystery Train", "I got a woman", "Hound dog", "Tutti frutti", "Be bop a lula", "Blue suede shoes") ou celles que des spécialistes créent pour lui ("Love me tender", "Jailhouse rock"). La recette du rock n' roll est trouvée : elle fera la fortune du King et lancera la mode dans le monde entier. Après son service militaire, effectué en Allemagne, Elvis rentre dans le rang, se marie et abandonne le style blouson noir de ses débuts. Hollywood s'est emparé de lui et d'absurdes contrats l'obligent à tourner une longue série de films sans intérêt. Pendant ce temps, la vague Beatles-Rolling Stones-Animals balaye l'Amérique. Le Roi vacille sur son trône.

Il décide alors de faire un retour en force au rock des origines : au cours d'un show sur la chaîne télévisée NBC, Elvis apparaît, en mars 1968, à nouveau vêtu de cuir noir. Il rechante ses premières chansons avec vigueur et sincérité, entouré de ses vieux amis. Le rock n' roll moribond reprend espoir, mais ce n'est qu'un dernier sursaut.

Malgré une notoriété mondiale - le show télévisé, d'Hawaï en 1973 est vu par un milliard de spectateurs et 1000 concerts sont donnés entre 1973 et 1976 - Elvis, miné par l'isolement et les problèmes privés, meurt d'un arrêt cardiaque en 1976. Presque toutes les villes américaines des Etats du Sud ont aujourd'hui un *Elvis Presley boulevard*...

The Beach Boys

Les frères Wilson, alias les "garçons de la plage" ont pendant quelques années fait danser le monde entier avec

leur *surf music*, entraînante, gaie et techniquement irréprochable.

Initialement, le groupe avait trouvé la célébrité en adaptant des succès de Chuck Berry. Leur version de "Sweet little sixteen", rebaptisée plus prudemment "Surfin'USA", leur reprise de "Rock n' roll music" ou "Johnny B. Goode" frappaient plus par la qualité du travail choral et la pureté du son des instruments que par une réelle originalité.

Mais il arrive un moment où le perfectionnisme, porté à son comble, devient plus qu'une méthode. Ainsi, après des heures de répétitions draconiennes et de travail épuisant en studio, les frères Wilson pouvaient se vanter d'avoir mis au point une formule sonore immédiatement reconnaissable, ce qui est l'apanage des grands créateurs. Avec "Barbara Ann", "I get around", "Little deuce coupe", "Surfer girl" ou "Help me, Rhonda", ils apparurent comme les sauveurs de la musique rock américaine, au moment ou la pop anglaise venait sévèrement concurrencer sa suprématie, consacrée par les années 50.

Mais malgré le coup de maître de "Good vibrations", chef-d'oeuvre du son des Beach Boys et tube mondial, les garçons de la plage ne purent endiguer la marée Beatles-Rolling Stones, dont les mélodies plus travaillées ou l'énergie rageuse pouvait sembler, à juste titre d'ailleurs, correspondre mieux à une décennie encore plus tournée que la précédente vers des changements radicaux.

Déçu de voir le *Sergent Peppers* des Beatles dépasser son album phare, *Pet sounds*, Brian Wilson se retira dans un silence quasi paranoïaque, dont il ne daigna sortir que plus de vingt ans plus tard. Mais entre-temps, on avait oublié les Beach boys, et pas les Beatles...

Les Beatles

Une légende, un mythe, un symbole ? Les Beatles sont tout à la fois. A examiner l'histoire du groupe, les remous suscités par ses changements de cap, la tragédie, vécue au jour le jour, de leur séparation, les espoirs détruits par l'assassinat de John Lennon ; à étudier le trajet des Beatles survivants ou l'impact actuel d'une musique et d'un style qui a aujourd'hui près de trente ans, on peut se demander si l'importance de ce groupe n'est pas surévaluée.

Les Beatles furent-ils une pure création médiatique, la trouvaille de génie d'une industrie phonographique encore naissante, ou peut-on les

es quatre de Liverpool : une usine à tubes. Photo Rancurel.

onsidérer comme de vrais réateurs, comme les précur-eurs d'un mouvement musi-al et culturel qui devait sub-nerger, en quelques années, a planète ?

La réponse, John Lennon, n son temps l'avait déjà don-ée: *Nous sommes plus cé-èbres que le Christ*, avait-il it.

Une chose est sûre : les Beatles ont su au bon moment rendre la relève du rock n' oll américain moribond et im-rimer une image plus euro-éenne à la musique populai-e anglo-saxonne.

Avec leur sens du travail horal et des mélodies, leur volonté charismatique (marquée parfois par la propagande : antimilitarisme, glorification des drogues, philosophies mystiques, humanisme tiers-mondiste), les Beatles se sont présentés à la jeunesse comme un phénomène de mode (les cheveux longs, les vêtements chamarrés de la période psychédélique) et au monde comme l'image de la jeunesse en révolte.

Bien qu'ils n'aient pas voulu faire de revolution (il suffit d'écouter le catéchisme antirévolutionnaire de "Revolution" dans le double album blanc de 1968) et qu'ils aient cherché, au bout d'une série d'expériences sans lendemain, à éviter de jouer le rôle de l'avant-garde musicale du rock, les Beatles ont participé à la refonte des comportements de la jeunesse occidentale avec Bob Dylan et les Rolling Stones. Ils sont pour beaucoup dans la constitution, ou au moins la mise en forme, de la philosophie des années soixante.

Musicalement, les Beatles sont pourtant un peu à l'écart de ce que l'on appelle le rock. Leurs mélodies sont fortement marquées par les traditions britanniques, leur travail choral exceptionnel doit beaucoup aux Everly Brothers, aux Beach Boys et d'une manière générale, à la variété anglaise.

Non que les Beatles n'aient jamais été un groupe rock. Ils le furent à coup sûr au début, lorsqu'ils chantaient du Little Richard et du Chuck Berry dans les cavernes de Liverpool et les clubs de Hambourg, avant d'être connus, et à la fin, peu avant de se séparer. Mais ils ont été plus encore les leaders d'un mouvement musical qu'ils ont contribué à définir, à cheval sur le rock et la pure variété, que les Anglais appelèrent *popular music* ou *pop music*.

Si populaire qu'aujourd'hui encore, dans tous les coins du monde, des jeunes musiciens de toutes races et de toute[s] nationalités sont capables d[e] jouer "Yesterday", "Hey Jude", "Help", "Michelle", "Ge[t] back", "Let it be", "Penny Lane" ou "All you need is love".

Une manière comme un[e] autre d'atteindre, même séparés, l'éternité...

Les Rolling Stones

Une fois la surprise passée, l[e] monde se rendit compte qu[e] dans l'ensemble, somme toute

es Beatles n'étaient pas bien langereux pour l'ordre social. :t s'il n'y avait eu John Lenıon, peut-être le groupe se ût-il perdu dans les ornières lu conformisme et de la muique de variété.

Tout autre fut, d'emblée, 'image des Rolling Stones : rimaçants, volontairement rovocants dans leurs chanons, leurs interviews, leur jeu le scène et leur attitude, ils ne urent longtemps que le penlant en quelque sorte diaboique des Beatles. Dès leurs débuts, ils s'étaient signalés par le caractère particulier de leur répertoire : volontairement tourné vers le rock noir et le rythm n' blues, les premiers disques orientèrent le groupe vers un rock plus direct et moins commercial que les gentilles mélodies anglaises des Beatles.

Il faut dire que, contrairement aux autres vedettes du moment, les Rolling Stones faisaient figure d'intellectuels solidement implantés dans la capitale londonienne, alors

.es Rolling Stones à l'Olympia en 1964. Photo Rancurel.

que les fleurons de la musique pop anglaise étaient plus fréquemment de jeunes provinciaux, d'origine très modeste de surcroît.

Après quelques succès empruntés à Chuck Berry ou à Rufus Thomas, Keith Richards, guitariste simple mais efficace, trouve dans une chambre d'hôtel le *riff* qui allait faire la fortune des Rolling Stones : après "Satisfaction", la gloire en effet est là, installée pour longtemps. Elle dure toujours. Vingt-cinq ans de vie-presque-commune, des dizaines de chansons, quelques grands tubes ("Angie", "Let's spend the night together", "Sympathy for the devil", "Miss you", "Jumpin' jack flash", "Honky tonk women") ont fait des Rolling Stones le symbole du rock classique, derniers tenants d'une musique simple et entraînante qui avait su un temps cristalliser les espoirs et les colères de la jeunesse.

Parallèlement, les Stones demeurent la plus formidable machine à aspirer les dollars du *rock bizness* moderne : n'ont-ils pas atteint (alors que la cinquantaine les guette !) le n° 1 des hit parades américains avec leur dernier disque, *Steel Wheels* ?

Cette longévité n'est pas due au hasard, mais bien plutôt à la conjonction de talents très différents : Mick Jagger le chanteur, est une bête d scène extraordinaire et u homme d'affaires redouté Keith Richards, le guitariste véritable créateur du style mu sical du groupe, a plus d'un belle mélodie à son actif. Bi Wyman et Charlie Watts, bas siste et batteur, sont aussi effi caces que discrets. Quant Ron Wood, le petit dernier, i joue, gentiment, quand on lu dit de jouer... Cette formul est peut-être criticable, mai elle a le mérite d'avoir permi aux Rolling Stones d'être l plus ancien, le plus célèbre, l plus riche et le plus envié de groupes rock contemporains.

Bob Dylan

Robert Allen Zimmermann es né en 1941 dans une petite vi le minière du Minnesota, Du luth. C'est le bout du mond les quartiers pauvres, les co rons misérables sont habité par des ouvriers immigré d'Europe de L'Est.

Robert, lui, a de la chance il vient au monde dans une fa mille juive aisée (immigrée d Lituanie), spécialisée dans l confection.

La jeunesse du petit Bob s passe, molle et ennuyeuse, Duluth puis à Hibbing, bou gade voisine où ses parent éliront finalement domicile. L mode de vie étriqué et conventionnel de la province, la médiocrité des débouchés - le retard en somme - du Minnesota l'agacent.

Il part alors pour New York, vit en squatter chez des amis étudiants, apprend à jouer de la guitare, boit du vin et fume du haschich... On est dans les années 60, à leur tout début. Ce n'est pas seulement le Minnesota qui a besoin d'être "secoué", mais l'Amérique tout entière.

Robert Zimmermann, élève surdoué exclu de l'Université pour absentéisme, paresse et anticonformisme, devient alors Bob Dylan (en hommage, probablement, au poète gallois Dylan Thomas). Il joue dans les pianos bars enfumés et teste ses textes rageurs devant les foules clairsemées et pensives des festivals universitaires. Il va voir, sur son lit d'hôpital, le grand Woody Guthrie, son idole, pour se donner du courage et peut-être y chercher une bénédiction.

"Le roi du folk"

La première carrière de Bob Dylan commence en 1961 avec un disque presque passé inaperçu. Le second aurait pu, lui aussi, demeurer inconnu, si Peter, Paul and Mary n'avaient popularisé l'une des chansons de l'album. "Blowin'

Biograph : La meilleure des compilations de l'oeuvre de Dylan (CBS Records), coffret de cinq disques.

in the wind". Le succès se fait tout de même attendre. Trois ans plus tard, une autre chanson d'un autre album, "Mister tambourine man", reprise par un autre groupe, les Byrds, arrive en tête des hit parades.

Cette fois, la gloire est là. Partout, on veut voir le poète. On s'arrache le roi du folk, on rachète ses premiers albums et "The times they are a changin'" devient l'hymne de la jeunesse étudiante contestataire.

Devenu malgré lui le leader de la rébellion étudiante, alors qu'il n'aime pas les grandes causes et professe un individualisme forcené, Dylan s'envole pour l'Europe. Là, ses contacts avec les rockers anglais lui donnent l'idée d'une autre révolution.

"Le clochard céleste"

Dylan réalise un vieux rêve : toucher le public rock et se démarquer des bons sentiments de la musique folk. Il se paye un orchestre et une guitare électrique, chante de manière décidée et nasillarde des textes de plus en plus symboliques et obscurs sur des musiques inspirées par le rock. D'un coup, d'un seul, il donne au rock ce qui lui manquait depuis toujours : des paroles. De vraies paroles, de vrais textes, de vrais poèmes. Dylan, sur un coup de tête et un coup de dé a fait du rock une culture. Le "poète électrique" admirateur de T.S Eliot, d'Arthur Rimbaud et de Baudelaire devient à son tour un classique en composant "Like a rolling stone" et "Ballad of a thin man".

Caprices de star

En deux ou trois ans et quelques albums, Dylan montre qu'il est le plus grand poète de langue anglaise de ce siècle. Sa technique d'écriture a fortement évolué depuis ses tout débuts. Après les textes clairs, au contenu engagé et au style hargneux, il est passé à une poésie très fortement imagée, influencée par le symbolisme français et l'art surréaliste : écriture automatique, syntaxe tortueuse, écriture "sous influence" parfois, mais avant tout écriture mélodique, sons et jeux de mots, mélange des genres, humour, désespoir, cynisme, tendresse...

Epuisé, Dylan prend sa retraite à vingt-sept ans et se marie. Pour ne pas jouer son rôle de leader, il ne se présente même pas au festival de Woodstock, en 1969, alors qu'il habite dans cette ville. Il va alors enregistrer un album, *Nashville skyline*, avec les cow-boys de Johnny Cash. Il ne dit rien sur la guerre du Vietnam. Déçus, ses premiers fans l'abandonnent et sa popularité baisse. Pour avoir refusé d'être le Pape, il passe désormais pour un traître.

Des hauts et des bas

Dylan, à partir de 1971 - 72, va mener une carrière en dents de scie, *Before the Flood* (1974), double album enregistré en public avec The Band est excellent. *Infidels*, dix ans plus tard, marque son retour au rock énergique et aux textes forts. Dans un autre genre, musicalement plus sophistiqué (Mark Knopfler, de Dire Straits y tient la guitare), *Slow train coming* (1979), Dylan peut aussi être très bon. *Oh mercy* (1989) mêle habilement *gospel song*, musique *country*, *folk song* et rock n' roll.

En concert, Dylan est capable du pire et du meilleur. Il peut s'appliquer ou au contraire saccager sciemment le spectacle si quelque chose lui déplaît. Il joue selon son humeur et peut faire un concert de hard rock en 1978 à Paris, une tournée folk en Australie avec Tom Petty en 1986, ou donner dans la musique punk à Los Angeles en 1988. Le tout avec ses mêmes vieilles chansons, bien entendu. Dylan ne pourra plus jamais nous surprendre, car d'une certaine manière, avec lui, nous nous attendons toujours à être surpris. Etrange personnage, génial ou mesquin, prévisible ou provocant, lointain et proche, légendaire malgré lui et inquiétant malgré tout.

Jimi Hendrix

Il fut un explorateur. Il a tout visité, dans le rock, du blues à la pop music, sans oublier d'y incorporer des harmonies issues du jazz et du rock des origines.

Son tempérament expérimental le poussa hors des sentiers battus. Il a imposé au monde du rock stupéfait des solos fluides et aériens, des sons grinçants. Il savait imiter le tonnerre des bombes ou suggérer, avec une guitare acoustique à douze cordes, l'ambiance du blues originel. Guitariste émérite, il poussa si loin les limites de l'instrument, que la barre semblait à tous inatteignable : Eric Clapton, Pete Townshend, Jimmy Page, Ritchie Blackmore, Mick Taylor, tous les *guitar heroes* du rock anglais de l'époque s'étaient mis à son école.

Jimi Hendrix bouleversa toutes les habitudes, imposa de nouvelles directions. Personnage torturé et hypersensible, il a donné quelques-uns des classiques les plus soignés de la musique rock, de "Hey Joe", qui le fit connaître, à l'inoubliable "Purple haze", de l'extraordinaire reprise de "Johnny B. Goode", qui laissa tous les guitaristes pantois, à "Wild thing", sans oublier "All along the watchtower", composé avec Bob Dylan, ou "Voodoo Chile", stupéfiant de dextérité. Hendrix a fait de la guitare électrique le symbole de la musique rock. Après lui, elle domina le genre pendant près d'une décennie.

Mort trop tôt, après avoir en trois ans tout bousculé, Jimi Hendrix, l'instrumentiste et le compositeur le plus marquant du rock américain des années 60, laisse derrière lui le souvenir d'un génie fauché par la fatalité.

Led Zeppelin

Le hard rock était à ses origines un développement du jazz, de la pop music et du blues. Musique éminemment expérimentale, il portait pourtant la marque de ses origines.

Les sons saturés, le chant suraigu, le déluge apocalyptique des lumières et des fumées définirent un genre qui, à ses débuts, n'était absolument pas stéréotypé. Led Zeppelin, dans la foulée d'Hendrix et de Cream (le groupe d'Eric Clapton), donna au hard rock ses lettres de noblesse : solos rageurs, cascades de notes, sonorités grinçantes et suraiguës, rythmiques d'acier, la recette du tandem Jimmy Page (guitare) - Robert Plant (chant) connut dès 1968 un grand succès. La carrière de Led Zeppelin fut brillante jusqu'en 1975. Quelques grands classiques ("Whole lotta love", "Since I've been lovin' you", "Stairway to heaven") sont à l'actif de ce groupe qui, parti sur des bases avant-gardistes, sut pourtant gagner la faveur du public.

Deep Purple

Issu de la vague du rock blues anglais, Deep Purple trouva la célébrité dès 1969. La formule de ce groupe de hard rock est proche de celle de Led Zeppelin : un guitariste surdoué, Ritchie Blackmore, un chanteur exceptionnel, Ian Gillian. Avec l'album *Deep Purple in rock* (1970), puis grâce au succès mondial de "Smoke on the water", qui devint la chanson symbole du hard rock, le groupe se hissa au panthéon des stars du "métal lourd". Aujourd'hui en sommeil malgré une réunification récente (et inutile), Deep Purple demeure une référence universelle pour tous les groupes de *heavy metal* contemporain. Leur album fétiche, *Made in Japan* est toujours un best seller.

Simon and Garfunkel

Ce duo, qui a su tirer le meilleur de ses influences (Everly Brothers, Beach Boys,

:BS Records.

ɜeatles, musique folk), est ɔarvenu à la célébrité grâce à a bande-son du film *Le lauéat* : "The sounds of silence" ut un énorme succès. Il fit onnaître Simon et Garfunkel lans le monde entier, qui sut pprécier la qualité des arran-ements vocaux, la sobriété et a souplesse des accompagne-ients, la beauté des textes.

Paul Simon, musicien et ompositeur émérite, excellent hanteur de surcroît, a donné vec son compagnon Art Gar-ınkel quelques grands clas-iques à la musique rock des nnées 60 et 70 : "Bridge over :oubled water", "Mrs Robin-on", "The boxer", "Home-ard bound".

Séparés rapidement, ils se sont réunis à l'occasion d'un concert donné à Central Park au cours duquel la foule leur fit une immense ovation. Quinze ans après, ils n'avaient rien perdu de leur énergie.

Fleetwood Mac

Ce groupe de blues rock anglais n'aurait certainement pas connu le succès, s'il s'était cantonné à la musique puriste de ses débuts. Leur départ en Amérique et l'arrivée de deux chanteuses à l'allure de top models les poussèrent à tenter l'expérience d'un folk rock de qualité, tirant vers la variété.

Leur meilleur album, *Rumours* (1977), contient un très grand nombre de tubes et fut l'album le plus vendu de la décennie. La qualité des arrangements vocaux, la sophistication des mélodies, la simplicité des paroles et la dextérité instrumentale composent un cocktail agréable, qui fait du rock de Fleetwood Mac une musique d'ambiance extrêmement plaisante.

Pink Floyd

Né en 1968, ce groupe a, dès ses débuts, étonné le public par la qualité exceptionnelle de ses shows. En effet, tant en ce qui concerne la pureté du son que la beauté et la complexité des jeux de lumière, Pink Floyd s'est immédiatement constitué une image de perfection, qui est aujourd'hui devenue une légende. Pink Floyd, qui évoluait à la fin des années 60 dans la nébuleuse imprécise du rock progressif, a rapidement pris la tête du mouvement en en modifiant les intentions et les moyens.

Syd Barrett et Roger Waters avaient en tête de donner aux synthétiseurs naissants une place prépondérante. Cela donna au son de Pink Floyd une texture alors inconnue dans le rock. Par ailleurs, ils désiraient rompre avec la musique de danse et firent tous les efforts nécessaires pour donner à leur rock un caractère symphonique. La mode étant au psychédélisme, c'est-à-dire à la découverte de soi par l'intermédiaire des drogues, la musique de Pink Floyd, qui s'imposa comme une musique d'écoute et de méditation, prit le nom de *rock planant*. Dès 1973, *Dark side of the moon* devint l'album phare du rock des années 70. Aujourd'hui encore il reste une référence et détient bien des records. Le tube "Money", qui fit son succès, est devenu un classique et les disques suivants consolidèrent la réputation de qualité de Pink Floyd. Malgré les nombreuses dissensions internes, le groupe sortit en 1979 un autre album majeur : *The Wall*, qui, accompagné d'un film à succès d'Alan Parker, consacra sa domination sur le rock de la décennie.

Quatre ans plus tard cependant, après un dernier album *(The final cut)*, Pink Floyd, après d'interminables disputes, se sépara. Reformé l'année suivante sans Roger Waters, le groupe a, en 1988 et 1989, fait deux tournées mondiales triomphales. Le concert de Versailles fut l'un des événements de l'année et la renommée de ce vieux groupe demeure intacte auprès des jeunes générations.

The Sex Pistols

Violemment, méchamment, ils ont dérangé à partir de 1976 la routine du rock commercial et jeté à bas en trois ans l'édifice des modes rock et des styles imposés par la décennie précédente.

Les Sex Pistols n'étaient pas de bons musiciens, du moins pas au sens technique du terme. Ils voulaient choquer, provoquer, détruire. Aucun système de remplacement ne trouvait grâce à leurs yeux. Ils haïssaient les Beatles autant que Frank Sinatra et la reine d'Angleterre.

Ils faisaient exprès de "mal" jouer, de "mal" chanter, de "mal" s'habiller. Emportés par le tourbillon du nihilisme ils criaient "No future" ("Pas d'avenir") à l'Angleterre touchée par la crise économique. Ils n'aimaient ni les riches ni les puissants, qu'ils soient rockers ou gouvernants. Leurs outrances verbales ("Que Dieu bénisse la reine et son régime fasciste" dans "God save the Queen") et leur comportement extrémiste les firent prendre pour des anarchistes ("Anarchy in the U.K." : "Anarchie au Royaume-Uni"). Mais ils voulaient simplement faire la révolution dans le rock, retrouver l'esprit initial de la rébellion, sans fioritures, et avec le moins de moyens possibles. La comète Sex Pistols a en trois albums renouvelé la face de la planète rock. Après la tempête, le calme revint, mais les sons du rock étaient différents, et les cheveux des rockers étaient plus courts...

Le rock classique était mort, et sur les cendres du punk naquit la New wave, qui domina toutes les années 80.

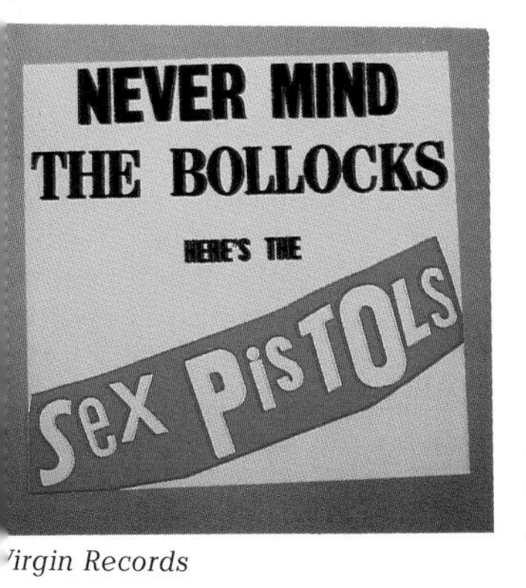

Virgin Records

Clash

Clash : l'"affrontement"... un nom qui convient parfaitement à l'attitude de ce groupe de la première vague punk. Le choc de l'allure, de la musique, des mots, des politiques même. En cette fin des années 70, la crise économique a accentué les antagonismes sociaux et raciaux de la vieille Angleterre. Au refus du rock établi (*Plus*

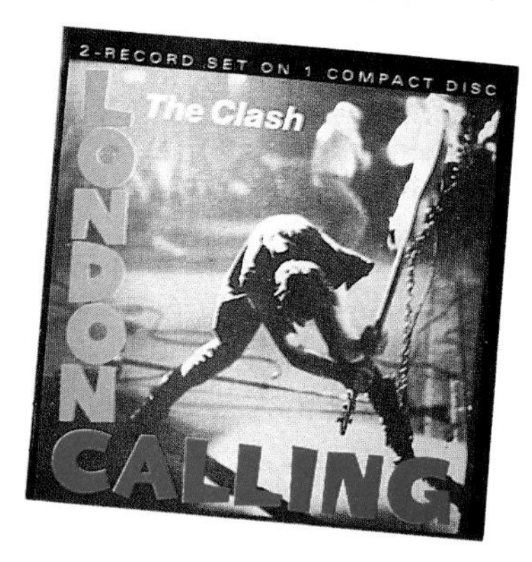

CBS Records.

de Presley, plus de Beatles, plus de Rolling Stones en 1977, crie Joe Strummer, leader et chanteur du groupe), The Clash ajoute celui des thèses xénophobes du National Front. Le groupe participe à des meetings antiracistes, des carnavals multiraciaux. Un film, *Rude Boy* (1981), montre les difficultés que leurs prises de position progressistes rencontrent dans le public punk de base, qui est traditionnellement composé de hooligans incultes et racistes. Malgré la conviction des textes et l'énergie dégagée par les albums *London Calling* (1979) et *Sandinista* (1982), le message de Clash ne passe pas. Fatigué par le harcèlement de la police et les dissensions internes, le groupe se sépare en 1984 après avoir sorti un dernier album, *Combat rock*.

Police

Lorsque ce groupe anglais au nom si étrange parvient au sommet des hit parades de son pays dans le courant de l'année 78, l'originalité du son et des rythmes annonce de vrais créateurs. Sting, le chanteur à la voix aiguë et fluette, est un ancien bassiste de jazz au jeu délié et précis. Le guitariste, Andy Summers, produit un son sophistiqué à l'aide d'une multitude de modifications opérées sur sa guitare élec-

Photo Claude Gassian

trique et un grand nombre de pédales d'effets. Le *chorus*, le *delay* et le *flanger* * (voir page 62) vont alors se superposer au rythme de reggae que le batteur Steward Copeland et le bassiste imposent au groupe.

Ainsi les sons modernes du rock issu de la musique punk se mêlent habilement à des mélodies et des rythmes venus de la Jamaïque.

Le "reggae blanc" de Police connut un succès mondial immédiat. Tous leurs albums furent rapidement classés au sommet des hit parades entre 1979 et 1984, date de la séparation du groupe. *Outlandos d'Amour* et *Reggatta de blanc* (1979), *Zenyatta mondatta* (1980), *Ghost in the machine* (1981) puis *Synchronicity* (1983) consacrent la gloire de trois musiciens dont l'oeuvre novatrice a marqué profondément la musique rock des années 80.

Bob Marley

Fils d'un sous-officier anglais et d'une servante noire vite délaissée par son séducteur, le jeune Bob trouve dans la musique ska pui reggae un moyen d'échapper à la condition misérable des Noirs jamaïcains.

Ses textes, violemment opposés au colonialisme blanc, influencés par la religion rasta, il les chante avec conviction sur les mélodies et les rythmes lancinants du folklore antillais matiné de *soul music* américaine et de rock blanc. Cette synthèse réussie (de "I shot the sheriff" et "Get up, stand up" (1973 - 74) à "No woman, no cry" ou "Exodus") a fait de lui, dans tous les ghettos des grandes villes d'Occident et du Tiers monde, un véritable prophète.

Bruce Springsteen

Un petit Américain du New Jersey, un quartier ouvrier, une ville triste, où seules les voitures et le rock n' roll peuvent intéresser la jeunesse à la vie... Un sujet de roman réaliste sur les jeunes Américains sans le sou est devenu réalité grâce à Bruce Springsteen et son orchestre, l'East Street band. Sans doute, il n'y a pas chez ce jeune apprenti mécanicien la richesse poétique des métaphores de Dylan ou de Jim Morrison, ni la richesse mélodique de Ray Charles, ni la technique de Clapton ou de Charlie Parker.

Peu d'innovation réelle, finalement, dans la musique de Bruce Springsteen, mais énormément de vérité : le vocabulaire familier de l'amour, de la pauvreté ou de la délinquance, la sobriété des émotions exprimées simplement, la régularité des rythmes issus du folk song et du rock n' roll, la rudesse de la voix et des guitares au son tranchant et net.

Il a été *le futur du rock n' roll*, le *nouveau Dylan*, et le *Boss*, mais aussi un des recordmen des ventes avec "Born in The USA", des recettes de concert aux Etats-Unis. Ce spécialiste des shows fleuves de quatre heures a derrière lui quinze années d'une carrière bien remplie et quelques classiques du rock : "The river", "Born to run", et "Born in the USA". Bruce Springsteen incarne à merveille ce goût si typiquement américain du travail bien fait.

Phonogram Records.

Dire Straits

Ce groupe anglais, mené par le guitariste-chanteur Mark Knopfler, est né en pleine vague punk et par réaction contre elle. Avec "Sultans of swing", morceau de country rock nostalgique dont l'accompagnement à la guitare est un festival de virtuosité et un modèle de pureté sonore, Dire Straits s'est imposé comme le dernier groupe de rock classique. Mais peu à peu, la sophistication mélodique et sonore, la douceur et la finesse du jeu de Knopfler ont fait de ce groupe l'un des plus puissants du rock FM. Misant sur un rock d'ambiance souple et harmonieux, se laissant parfois aller à composer des morceaux plus dynamiques, le groupe est en effet devenu en 1988 le meilleur vendeur de CD avec la compilation de sa carrière, *Money for nothing*. Et, de fait il s'agit bien là du panorama magistral d'une carrière exemplaire.

Eurythmics

Ce duo britannique, composé d'un guitariste polyvalent et d'une chanteuse à l'allure de top model a beaucoup frappé à ses débuts, par le caractère résolument avant-gardiste de ses compositions et des ses apparitions. Une musique fortement synthétisée, des textes glacés, une excentricité vestimentaire marquée (cuir noir, cheveux blonds coupés en brosse pour Annie Lennox, tenue cloutée, chemises roses et

BMG Ariola Records.

unettes noires pour Dave Stewart) ont fait le succès de ce groupe ambigu "Sweet dream" dès 1983, "Sex crime" en 1984, "There must be an angel" en 1985, "Missionary man" l'année suivante, puis "Savage" en 1987 et "We too are one" en 1989 sont des tubes qui ont marqué les années 80. La richesse des arrangements de Dave Stewart et l'étendue de la voix d'Annie Lennox composent un cocktail original, sans cesse à cheval sur le rythm n' blues et un rock résolument moderne. Les tournées mondiales du duo ont toutes été de grands succès et ce groupe rock marginal est devenu en quelques années l'une des grosses machines du marché du rock contemporain.

The Cure

Le groupe, dont la composition a changé maintes fois, trouve son unité et sa raison d'être dans la personnalité tourmentée du guitariste-chanteur Robert Smith.

Né directement du punk rock (Robert Smith a joué en compagnie des Sex Pistols et de Siouxie, dès 1977), The Cure s'en est distingué par une sonorité plus froide, moins saturée, et des paroles moins rageuses. Utilisant volontiers un son pur et ne craignant pas d'avoir recours aux synthétiseurs, Robert Smith sut donner à la New wave un son et une allure : glaciales, ses orchestrations poussèrent les critiques à parler même de Cold wave ("Vague froide"). Sombres, ses vêtements hérités de l'attirail punk furent complétés par une coiffure brune en bataille, plus ou moins longue selon les périodes, et un maquillage emprunté aux clowns de foire.

Les chansons désespérées de Cure sont à l'image des années 80 : sinistres, sans lendemain, blasées, méthodiquement autodestructrices. Toute une jeunesse de laissés-pour-compte et d'étudiants inquiets de leur avenir a fait pendant dix ans un accueil triomphal à la musique de Cure, pionnier et désormais tête d'affiche de la New wave.

U2

On reconnaît Bono, le chanteur de U2, au premier coup d'oeil : air grave, visage sévère de pasteur anglican qui aurait laissé pousser ses cheveux sous un chapeau quaker.

L'austérité de l'allure - cheveux noirs, costume noir, pochettes de disques et affiches de film en noir et blanc - correspond au sérieux des textes: condamnation de la guerre, du terrorisme ("Sunday, bloody Sunday", "New year's day") appels à la paix, à l'amour ("When loves comes to town", "In the name of love") et références religieuses en grand nombre. U2 s'impose comme le grand groupe engagé de la New wave des années 80. Leur origine irlandaise fait des membres du groupe les amis de tous les opprimés.

Nés dans un pays pauvre et divisé, marqué par plusieurs guerres civiles, les musiciens de U2 ont en effet repris à leur compte, au moment où cela n'était plus de mode, le flambeau des grandes causes de la jeunesse des années 60. Héritiers à la fois de la générosité des années contestataires et de la désespérance punk, ils marquent un trait d'union entre plusieurs générations de rockers.

Le son de U2 est entièrement dû au jeu de guitare de *The Edge*, musicien d'exception, capable de définir une atmosphère musicale en quelques notes. Sobre dans ses rythmiques et ses solos, il

Bono, leader charismatique du groupe U2. Photo Claude Gassian.

utilise à plein les effets électroniques pour produire des sonorités profondes et aigres fortement réverbérées et stridentes. La voix puissante de Bono, le soutien très précis du bassiste et du batteur ajoutent à la richesse des trouvailles de *Edge*.

Lorsqu'il arrive que U2 joue avec BB King, vieille légende du blues ("When loves comes to town"), la synthèse, magiquement, s'opère entre des musiciens que près de quarante années séparent.

Michael Jackson

Le petit prince aux gants blancs, le Peter Pan à la voix suraiguë, le roi du *break dance*, l'homme au boa qui, dit-on, passe plusieurs heures par jour dans une tente à oxygène pour éviter de vieillir, a fait de son trentième anniversaire un jour de deuil...

Et pourtant, derrière cette façade préfabriquée et névrotique, c'est un immense musicien qui se cache, un véritable créateur qui a passé sa vie entière sur les planches et dans les studios d'enregistrement.

Peu de musiciens ont pu en un seul album (*Thriller*) recueillir un aussi grand succès, une somme aussi considérable de tubes : "Billie Jean", "Beat it", "Thriller" ont fait le tour du monde et la fortune de leur auteur. Aidé par un arrangeur chevronné, Quincy Jones, vieux routier du jazz et de la soul music, Michael Jackson a su se démarquer du style vieillissant qui avait fait de lui un enfant vedette, avec ses frères, dans le groupe The Jackson Five. L'*electro funk* des deux hommes intègre les éléments traditionnels du funk, de la soul music noire et aussi les orchestrations du rock blanc. L'utilisation des instruments synthétiques et la place primordiale accordée au rythme ont fait des chansons de Michael Jackson la *dance music* dominante de la première moitié des années 80.

Conscient de donner une image un peu trop mièvre au public, lassé par les commentaires de la presse sur l'angélisme de sa vie privée, Michael Jackson a tenté de durcir son image avec un second album, *Bad* ("Mauvais") dans lequel, tout habillé de cuir noir, il s'efforce de se donner une contenance plus rageuse. Mais le public n'a pas aussi bien suivi que la première fois, malgré une campagne de presse et des clips vidéo assez réussis. Michael Jackson semble aujourd'hui dépassé, dans son propre domaine, par les rappeurs de la *house music*, qui lui doivent, sans le savoir, d'avoir lancé vraiment la musique de danse synthétique.

Photo Claude Gassian.

Prince

Prince Roger Nelson : 1,55 m, presque un nain. Mais aussi une formidable énergie, exigeante, tyrannique, insupportable à tous ceux qui l'approchent. Des crises de création de 100 heures, passées à enregistrer à la hâte avec des musiciens épuisés. Des crises de mégalomanie, lorsqu'il fait tout sur son premier disque (guitare, basse, synthétiseurs, cuivres, chant, arrangements, enregistrement). Des crises amoureuses, avec ses choristes, ses musiciennes. Des films éblouissants d'esthétisme (*Purple rain*), des concerts déments, des accès de provocation (l'érotisme torride de ses concerts, les paroles salaces de ses chansons, les poses lascives de ses pochettes). Et en plus de cela, Prince est une sorte de synthèse de toute la musique noire du siècle (blues, jazz, soul, funk) qui aurait réussi à faire le lien avec l'énergie du rock blanc.

En fin de compte, le rock de Prince depuis plus de dix ans impose ses rythmes et ses sonorités à toute la musique contemporaine, comme une référence. Cette fin de décennie marque la victoire de Prince, alter ego satanique de Michael Jackson, sur la passivité du rock commercial des radios FM et des chaînes musicales. Cela ne l'empêche pas d'y faire un malheur. Comme partout où il passe.

Madonna

Le rock n'avait jamais eu de Marilyn. Debbie Harry, du groupe Blondie, aurait pu peut-être prétendre à ce titre, mais elle était venue trop tôt. Chrissie Hynde, des Pretenders, était trop brune et Siouxie trop vénéneuse.

Madonna, la petite Italienne de Detroit, avec sa voix de Noire et son physique de page centrale de Playboy a joué sciemment de toutes ces images accumulées. La blondeur, le sex appeal de Marilyn, la provocation de Debbie et de Siouxie, l'énergie de Chrissie, plus la voix, plus la danse; et sans purisme, elle s'est attaquée à la variété, devenant ainsi le premier sex symbol de l'histoire du rock. Dès son second disque, elle place dans les hit-parades trois tubes majeurs : "Like a virgin", "Material girl" et "Into the groove". Cette année 1983 est celle de son succès mondial, appuyé par le film *Recherche Susan, désespérément*, dans lequel elle joue à merveille un personnage somme toute assez proche de ce qu'elle est en réalité. Madonna, qui a appris à utiliser sa silhouette ravageuse dans ses clips vidéo et au cinéma, poursuit depuis une carrière brillante qui a imposé un genre : le funk blanc.

Photo Claude Gassian.

Instruments et matériels

La musique rock a évolué en même temps que les instruments qu'elle a utilisés : au début, les rockers se contentèrent de tirer le maximum des instruments acoustiques, hérités de la musique classique, du folklore ou du jazz. Le premier rock n'roll est ainsi caractérisé par le son du piano, de la guitare acoustique, de la contrebasse, du saxophone et des guitares électriques à caisse creuse.
Puis les besoins des créateurs et les exigences du public privilégièrent les sons beaucoup plus puissants et durs des guitares électriques à caisse pleine. Durant deux décennies, cet instrument fut le symbole du rock, tous styles confondus. Depuis le début des années 80 cependant, ce sont les claviers et les batteries électroniques qui donnent au rock sa texture sonore.
Ainsi, de nos jours, le musicien de rock dispose d'un matériel acoustique et électronique extrêmement varié, capable de produire un nombre quasi illimité de sons différents.

La guitare

es premiers rockers utilisèrent les guitares acoustiques du blues rural et du folklore blanc. Malgré le nombre considérable de luthiers travaillant aux Etats-Unis, c'est la marque *Martin and Co* qui était en faveur. L'instrument produit par cette fabrique était une guitare à cordes métalliques, au manche allongé et fin, au corps large et profond dont le son, ample et équilibré, finit par devenir un modèle pour les autres luthiers, qui en copièrent la construction et l'allure. Tous les musiciens acoustiques majeurs ont utilisé des guitares Martin, de Big Bill Broonzy, bluesman noir des années 40 à Eric Clapton en passant par Elvis Presley. D'autres firmes produisirent des guitares acoustiques de qualité : Gibson, que préféraient le bluesman Lightnin Hopkins ou John Lennon, mais aussi d'autres marques moins connues qui eurent aussi leur heure de gloire, Epiphone, Guild et Harmony.

Mis au point dans le courant des années 20, le modèle Martin *Dreadnought* présentait, par rapport aux guitares de l'époque, encore trop liées à la

Guitare folk acoustique Guild F50 (années 70)

Lutherie artisanale française. Les micros P.90 Gibson datent des années 50.

tradition de la lutherie classique, plusieurs points techniquement originaux qui sont à l'origine de certains sons typiques du blues puis du rock.

Le manche de quatorze cases hors caisse permet au guitaristes de jouer plus de notes aiguës. La table d'harmonie, renforcée par un *barrage* en X peut supporter la traction des cordes sans avoir à être bombée, comme les guitares de jazz.

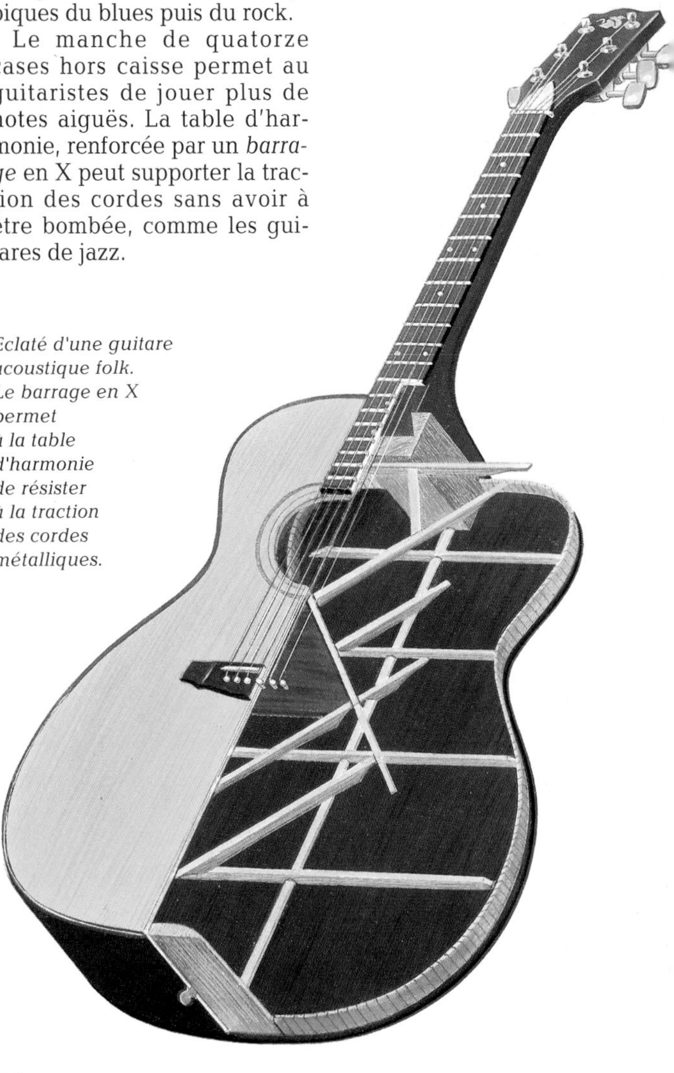

Eclaté d'une guitare acoustique folk. Le barrage en X permet à la table d'harmonie de résister à la traction des cordes métalliques.

La caisse composée à l'aide de bois massifs *formés* à la vapeur et au gabarit est elle aussi renforcée, cette fois par des barrages parallèles.

Afin de rendre l'instrument plus sonore, la firme Gibson produisit dès les années 40 un instrument à caisse encore élargie, la *Jumbo* J 200. Ce modèle rare, extrêmement sonore était très apprécié des joueurs de blues, des folkloristes blancs et des musiciens de studio. Il fut un temps produit, en série elle aussi limitée, par la prestigieuse marque Guild.

La guitare électrique

Mais une guitare acoustique, si puissante qu'elle soit, ne peut rivaliser avec un instrument amplifié. Dans les premiers grands orchestres de jazz, la guitare, trop peu sonore, restait un instrument d'appoint. Dans les premiers groupes de rock n' roll, la guitare acoustique était couverte pour les cuivres et la batterie.

L'invention de Leo Fender modifia profondément l'instrument et la musique rock tout entière.

Le principe appliqué par cet ingénieur électronicien, fabricant d'amplificateurs dès l'après-guerre, est simple : la caisse est remplacée par un morceau de bois massif, épais de quelques centimètres. Le manche, en érable massif, est simplement vissé au corps. Le guitariste peut utiliser plus de vingt cases et ainsi produire des notes suraiguës. Telle quelle, la guitare ne produit aucun son exploitable. Ce sont les deux micros magnétiques qui envoient à un amplificateur une impulsion électrique. En réglant l'amplificateur ou en sélectionnant le micro à l'aide d'un inverseur placé sur la guitare, le musicien dispose d'une palette sonore très étendue et très puissante.

La *broadcaster*, appelée peu après *Telecaster*, puis la *Stratocaster* (équipée de trois micros) ont ainsi révolutionné la musique contemporaine. Elles ont été, comme les guitares acoustiques Martin, copiées par les luthiers du monde entier, et particulièrement au Japon et en Corée.

Les premières guitares électriques dataient des années 30.

Elles étaient réservées aux ensembles de jazz et n'étaient que des guitares acoustiques amplifiées. Lorsque l'on voulait faire monter le son à un niveau trop élevé, la caisse creuse entrait en résonance, produisant un sifflement désagréable appelé *feedback* ou *effet Larsen*. L'amélioration proposée dans les années 50 par les guitares de types *solid body* de Fender puis de Gibson (les premières *Les Paul*) permit aux ensembles rock d'atteindre de très hauts niveaux de son sans être gênés par l'effet Larsen.

Les guitares électriques modernes ne sont que des améliorations très partielles de ces instruments. Depuis la sortie de la Fender Stratocaster en 1954, il ne s'est presque rien passé dans le monde de la guitare électrique.

Micro de "Fender Stratocaster"
Eclaté d'une "Les Paul" Gibson

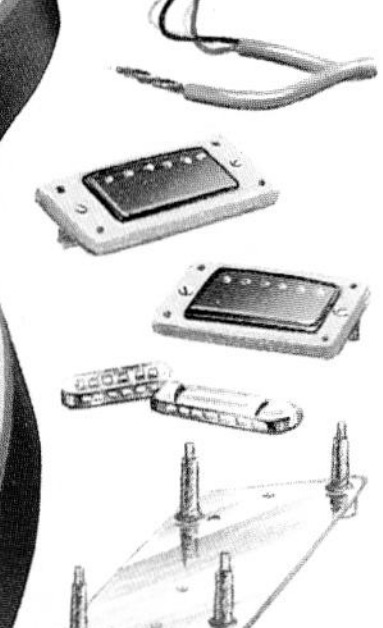

La guitare basse

Le même problème de Larsen empêchait d'amplifier efficacement les contrebasses des premiers groupes de rock n' roll. Leo Fender s'attaqua au problème et eut, là aussi, l'idée de génie de remplacer l'énorme caisse de résonance par un morceau de bois plein. Des micros magnétiques spéciaux, un manche à barrettes conçu sur le modèle de celui de la guitare, et l'instrument mit en quelques mois la contrebasse au musée. Les bassistes du rock adoptèrent le nouvel instrument, beaucoup plus facile à jouer et à transporter. Toutes les basses électriques modernes sont construites sur le modèle des premières *Telecaster bass*, *Jazz bass*, et *Precision bass* de Leo Fender.

La batterie

Qu'aurait pu être le rock, genre musical si nettement caractérisé par sa conception rythmique, sans la batterie ?

La section rythmique des premiers groupes de blues de Chicago, celle des grands ensembles de jazz, a donné naissance à celle du rock n' roll. Une grosse caisse de 50 cm de diamètre (22 pouces) fournit les sons sourds, deux toms de 30 cm (13 pouces) un tom médium de 36 cm (16 pouces) et une caisse claire de 14 pouces constituent l'ensemble des différents tambours sur lesquels frappe le batteur. Ils

Le rythme du rock est donné par la batterie. Photo Dominique Doignon.

Des percussions rudimentaires mais efficaces

fournissent l'essentiel du rythme nécessaire et sont appuyés par les cymbales simples. Les cymbales doubles, actionnées par le pied, comme la grosse caisse, permettent de varier les rythmes à l'infini.

Les premières peaux, très fragiles et sensibles à l'humidité ont été remplacées aujourd'hui par des peaux en plastique, ce qui a vraiment simplifié la vie des batteurs. Les peaux animales ne sont maintenues que sur les percussions de type africain, cependant fréquemment utilisées dans le rock moderne.

De nos jours, certains musiciens se servent de percussions électroniques, constituées par des plaques hexagonales reliées à un système d'amplification, qui peut traiter le son en fonction des exigences du batteur.

Les boîtes à rythmes électroniques, programmables ou non, ne sauraient remplacer un batteur, mais de nombreux groupes les utilisent comme appoint et certains genres (rap, funk, house music) les emploient très fréquemment.

Les claviers

Ray Charles, Fats Domino, Big Joe Turner, Little Richard furent parmi les créateurs du rock. Ces pianistes chanteurs surent tirer du piano, instrument classique par excellence, des sons et des rythmes nouveaux. Chacun à leur manière, ils léguèrent au rock un jeu intense, violent ou inspiré, spectaculaire ou plus retenu, selon leur tempérament.

Certains d'entre eux, comme Ray Charles, surent prendre le tournant de l'orgue électronique dès la fin des années 50.

De nos jours, le piano acoustique a pratiquement disparu

des scènes rock, remplacé par des pianos électriques (*Fender Rhodes*) ou électroniques (*Clavinova Yamaha*), beaucoup plus faciles à transporter. Mais le son du piano acoustique, intimement lié à l'histoire du jazz et du rock n' roll des pionniers, n'est plus à la mode. Des machines électroniques sophistiquées, les synthétiseurs, l'ont désormais remplacé. Plus commodes à jouer et à transporter, ils peuvent produire un nombre quasi illimité de sons (*DX 7 Yamaha*, synthétiseurs *Korg*, *Roland*, etc.).

Le système de l'échantillonnage permet de faire produire à l'instrument tous les sons que l'on aura fait entrer dans sa mémoire. Ainsi, un musicien qui voudrait reproduire le son d'un antique orgue Hammond peut capter sur un disque cette sonorité. L'échantillonneur produira alors celle-ci sur toute l'étendue de son clavier. On peut ainsi se livrer à toute sorte d'expériences, en faisant *chanter l'aboiement d'un chien ou le claquement d'une porte*. Ces instruments disposent en outre d'une banque de plus de 5 000 sons par combinaison.

Tous les claviers modernes utilisent la technique numérique raccordée à un système d'amplification; ils fournissent une sonorité très pure, particulièrement appropriée au style du rock contemporain. Après les pionniers des synthétiseurs que furent Pink Floyd, Genesis, Jean-Michel Jarre ou Vangelis, tous les groupes actuels issus de la New wave utilisent à plein les ressources des claviers numériques : Eurythmics, Cure, U2, Simple Minds et même les tenants d'un rock plus classique, comme Bruce Springsteen ou Dire Straits.

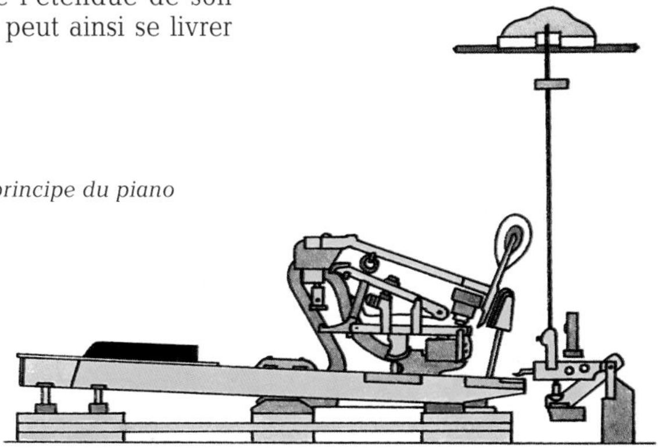

Schéma du principe du piano

Synthétiseur Korg, échantillonneur Akai

Piano électronique "Clavinova"

Les instruments à vent

Le saxophone, instrument majeur, avec la trompette, des ensembles de jazz de l'entre-deux-guerres parvint à tenir une place mineure dans le rock n' roll des origines, puis disparut dans le courant des années 60, supplanté par la guitare électrique et l'harmonica amplifié. Mais son rôle demeura important dans toute la musique soul noire : Ray Charles, Otis Redding, Aretha Franklin ou Sam and Dave lui ont laissé une large place. Puis les années 70 virent le gros son des guitares électriques et les nappes des synthétiseurs envahir la musique rock.

Le saxophone connaît pourtant, depuis les années 80, un certain renouveau. Il a repris une place très honorable dans tous les styles du rock : Pink Floyd, Sade, B 52's, George Thorogood, Eurythmics, les Rolling Stones l'utilisent chacun à leur manière.

L'harmonica, lui, baptisé il y a longtemps *saxophone du pauvre* ou *saxophone du Mississippi*, a perdu sa prépondérance ancienne, celle de l'époque du rock blues (Canned Heat, John Mayall, J.Geils band).

Les accessoires

Personne n'ira croire, en écoutant un morceau de rock contemporain, que le son qu'on entend est d'origine naturelle. Le son pur de la guitare acoustique est *équalisé* (réglé, ajusté) au départ et à l'arrivée, par des micros piézo-électriques moulés dans le *sillet*. Les guitares électriques elles-mêmes ne sont plus branchées directement sur les amplificateurs. Une série de machines intermédiaires, appelées pédales d'effet parce qu'elles produisent des sonorités spéciales et sont actionnées au pied, transforment profondément la couleur et la texture de l'instrument.

Certaines pédales produisent un son saturé, particulier au rock dur comme le heavy metal, le hard rock ou le rock progressif.

D'autres génèrent des formes différentes d'écho : la *reverb* est un son d'écho profond et ample, alors que le *delay* et le *chorus* produisent un écho en boucle, avec répétition réglable et profondeur variable. L'*équaliseur* règle le rapport entre les graves et les aigus, le *booster* augmente la puissance des aigus. La plupart de ces pédales utilisent désormais la technique digitale, ce qui purifie leur son. Elles sont fréquemment aujourd'hui réunies dans un boîtier unique, généralement programmable, ce qui est encore plus pratique et élimine le souffle produit par les branchements en série.

La sophistication est désormais reine dans le monde de la guitare : il s'agit pour cet instrument de tenir tête, sur le terrain de la variété sonore, aux claviers ultra performants des années 80.

Mais les effets électroniques ne sont que le prolongement contemporain du désir de modifier les sons naturels des instruments acoustiques.

Depuis les débuts du blues et du rock, les musiciens ont cherché des moyens d'enrichir la palette sonore des instruments, et des guitares particulièrement.

Pédales d'effets

Un micro de légende, le Shure 55 S W'

Les accessoires du guitariste : onglets, mediator, capodastre

Le premier accessoire fut sans doute le *bottleneck*, tube de verre, puis de métal qui, placé sur l'un des doigts de la main gauche, permet au guitariste de produire des *glissandos*. Inventée par les intrumentistes hawaïens, cette technique donna sa texture au blues des origines. Elle est régulièrement employée dans le rock depuis les années 60, sur les guitares électriques cette fois.

Pour donner plus de puissance à la guitare acoustique, les joueurs de blues plaçaient des *onglets* métalliques sur le pouce, l'index et le majeur. Cette technique fut reprise par les folkloristes blancs des années 60.

Le *médiator*, inventé par les joueurs de banjo dès le XIXe siècle, fut employé dans le jazz et peu de guitaristes de rock peuvent aujourd'hui s'en passer. Il s'agit d'un petit triangle de plastique ou de corne avec lequel l'instrumentiste frotte, tire ou accroche les cordes qu'il désire faire sonner. Le médiator permet un jeu précis et rapide et le son est plus sec que lorsque le guitariste joue avec les doigts.

Les amplificateurs

Sans les amplificateurs, les guitares électriques seraient restées muettes. Bien sûr, les premières guitares électriques à caisse creuse dont jouèrent les jazzmen des années 30 et 40 (Charlie Christian, Wes Montgomery, T. Bone Walker) pouvaient être utilisées en acoustique. Mais leur son était faible et sourd. Le rock doit sa texture sonore à l'amplification des guitares à caisse pleine.

Les premiers "amplis" de guitare destinés au jazz puis au rock furent produits par Leo Fender, initialement technicien de TSF qui eut l'idée de modifier l'étage de préamplification d'un poste de radio pour y brancher une guitare. Ainsi, depuis les années 40, le *De luxe reverb* sorti des usines Fender n'a connu aucun changement : transformateurs de puissance, utilisation des lampes, haut-parleur unique de 40 cm. L'amplificateur a une puissance nominale de 15 watts sans distorsion. Mais si on le pousse à fond, on atteint 80 ou 100 watts, avec un son très chaud et saturé.

Cette caractéristique si particulière aux premiers amplis à lampes a été employée par les guitaristes de blues de Chicago, qui furent les premiers à explorer les possibilités de la saturation sonore. Les amplis Fender peuvent aussi bien dé-

Un amplificateur de légende : le Fender De Luxe Reverb

ivrer une sonorité douce et mple pour le jazz et le blues ue des sons chauds et saturés our le rock. Les rockers des nnées 60 (les Who, Eric Clapon et Jimi Hendrix entre utres) surent tirer le maxinum des amplis à lampes de a première génération. Mais eu à peu, alors que les sysèmes de sonorisation progresaient en puissance et en quaté, le besoin d'amplificateurs ncore plus performants se fit entir. Jim Marshall, musicien t technicien à la fois, mit au oint dans le cours des années 0 son ampli légendaire. Equié lui aussi de lampes, dispoant de plusieurs haut-pareurs de qualité, présenté en eux ou trois parties, cet empilement insolite de grosses boîtes noires devint l'amplificateur universel des guitaristes du rock. Jimi Hendrix l'adopta immédiatement, ainsi que tous les instrumentistes du hard rock, jusqu'aux Rolling Stones, qui firent quelques infidélités aux *Vox* et aux *Fender* de leurs débuts.

Il faut dire que les *Marshall* produisaient un son si puissant et dur qu'il ne pouvait que convenir au style musical de cette période : le son de Deep Purple et d'Hendrix doit beaucoup au génie de Jim Marshall, leur concepteur.

Les inconvénients de ces amplis à lampes sont tout de même nombreux : poids, fragilité, palette sonore peu éten-

ampes et transistors : deux technologies pour des sons différents

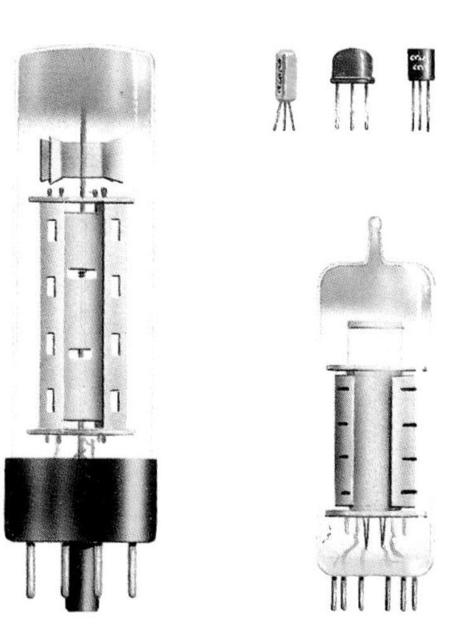

due. On finit donc, dès les années 70, par produire de plus en plus d'amplificateurs à transistors. Plus puissants, moins lourds, capables de délivrer des sonorités plus variées, ils ont marqué des points grâce aux modèles *Boogie* et *Peavey*. D'autres marques, comme *Roland*, *Ampeg*, *Gallien Kruger*, ont su s'imposer auprès des amateurs et des professionnels.

De nombreux guitaristes demeurent pourtant fidèles, nostalgiquement, à la sonorité des amplificateurs à lampes, qui sont aujourd'hui encore assez recherchés.

Sonorisation et enregistrement

L'amplification des guitares peut supporter des sons saturés, mais pas celle de la voix humaine : le problème se posa très tôt, et c'est par tâtonnements que la technologie de la sonorisation progressa pour atteindre la qualité actuelle.

Dans les années 50 et 60, monter le son de la voix du chanteur entraînait fréquemment l'apparition de sifflements désagréables. Par ailleurs, la voix devenait sourde, les paroles inaudibles : les basses "ronflaient", les aigus sifflaient. Il fallut attendre la mise au point de machines sophistiquées, les équaliseurs, pour commencer à éleve l'amplification de la voix hu maine au niveau d'un art véri table.

Aujourd'hui, tous les son provenant de la scène son centralisés par la console d sonorisation, sur laquelle s'af fairent plusieurs technicien Chaque instrument, chaqu micro dispose d'un canal, ave pour chaque entrée la possibi lité de régler le niveau, les fré quences du grave à l'aigu, un à une, la force des effets spé ciaux, la balance gauche-droi te, etc.

Dans le domaine de l'enre gistrement, d'énormes progrè ont été accomplis dans le mê me temps. Non seulement o dispose désormais de réduc teurs de souffle, mais de plus l'enregistrement digital, desti né principalement au disqu compact, a atteint aujourd'hu un niveau de quasi-perfection C'est à partir d'une consol semblable à celle que l'o vient d'évoquer que les instru ments et les voix sont enregis trés, simultanément ou sépa rément sur des magnéto phones multipistes. On *mix* ensuite toutes les sources e fonction du résultat recherch Les musiciens amateurs peu vent même se procurer de magnétophones à quatr pistes qui sont issus de la hau te technologie de l'enregistre ment professionnel. Pou un prix modique il leur es

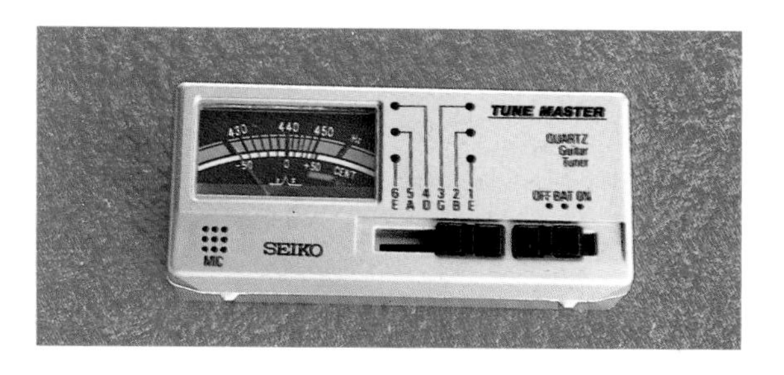

Un accordeur électronique de guitare

possible d'enregistrer des *maquettes* très convenables, bien meilleures que certains enregistrements professionnels d'il y a une trentaine d'années.

Qu'ils travaillent en indépendants ou qu'ils soient salariés des grandes maisons de production, tous les techniciens du rock sont chaque jour face à un problème difficile : comment faire la synthèse entre l'art et la technologie ? Chacun des métiers du rock se tient sur le fil, en équilibre entre deux forces qui sont faites de libertés et de contraintes.

Magnétophone 2 x 2 pistes à cassette standard

Les métiers du rock

En cinquante ans d'existence, la musique rock a su sortir de l'artisanat et devenir une véritable industrie, à l'échelle mondiale. Deux activités concentrent les métiers du rock : l'enregistrement, destiné à la production discographique, et les tournées, qui déplacent de ville en ville une quantité impressionnante de matériel sophistiqué. Le rock produit aujourd'hui des emplois qui n'ont plus rien d'occasionnel. S'il est vrai que la durée de vie d'un artiste rock peut être variable, les maisons de disque, elles, sont toujours là. De très nombreux techniciens hautement spécialisés, appuyés par une armée d'agents commerciaux de toutes sortes ont trouvé dans le rock un débouché sérieux. Il en est de même pour tous les journalistes, critiques et animateurs de radio qui vivent de cette musique, ainsi que des très nombreux vendeurs démonstrateurs. Certains musiciens deviennent même enseignants : aux Etats-Unis, plusieurs universités enseignent le rock comme une discipline musicale à part entière.

Musicien de scène ou de studio

Qu'il soit chanteur, guitariste, bassiste, batteur, pianiste, claviériste, percussionniste, etc., tout musicien rock est un artiste indépendant pouvant travailler soit dans un groupe constitué et faire de la scène, soit dans un studio d'enregistrement où il accompagne les artistes qu'on lui désigne. La scène et le studio sont les lieux privilégiés du travail d'un musicien rock. Ces lieux ne sont pas opposés, mais complémentaires.

Un guitariste peut en effet compléter son activité dans un groupe rock par des sessions remunérées qui viendront combler les temps morts entre deux tournées. Même chose pour les batteurs, les bassistes

Un grand nombre de musiciens professionnels de studio ont trouvé la célébrité en faisant le chemin inverse, du studio vers la scène.

Tout est donc possible, cela dépend du tempérament de chacun. Certains préféreront la relative sécurité et l'anonymat du travail en studio

D'autres chercheront la gloire en courant le risque de l'indépendance. Beaucoup trouvent leur plaisir dans une activité mixte, dans l'équilibre entre les deux fonctions. Dans tous les cas, la scène et le studio constituent un débouché réaliste à de nombreux artistes rock. Les tournées enseignent la maîtrise du trac, la connaissance du public, le contrôle du matériel. Le studio est une école de rigueur et de professionnalisme, dans laquelle toute sensibilité personnelle n'est pas gommée. Le plus souvent, par ailleurs, les musiciens de studio sont très respectés par l'ensemble de la profession.

Producteur

Contrairement au cinéma, le terme ne désigne par la personne qui s'occupe de trouver les fonds nécessaires à la création artistique. Dans le rock, le producteur est une sorte de technicien polyvalent qui encadre une équipe d'enregistrement.

Sa tâche est difficile, car c'est de la qualité de ses prises de son, puis de ses idées de mixage que vont dépendre la qualité et peut-être même le succès des morceaux enregistrés.

De nos jours les matériels d'enregistrement sont si sophistiqués qu'il est exclu qu'un amateur puisse les utiliser. Le producteur est fréquemment un ancien musicien, polyinstrumentiste, qui a en tête un type particulier de son. Certains producteurs ont marqué de leur inventivité l'histoire du rock : Phil Spector dans les années 60 comme Berry Gordy, Smokey Robinson ou George Martin, puis Nick Lowe, Kim Fowley, Todd Rundgren, Steve Lillywhite Quincy Jones sont pour beaucoup dans la célébrité de nombreux artistes rock, des Beatles à Michael Jackson, en passant par Bob Dylan, U2, ou les Beach Boys.

Le producteur est donc aujourd'hui l'artisan majeur du son d'un disque. Il doit, en accord avec les musiciens, définir la place relative de chaque instrument dans le résultat final, trouver des compromis et par-dessus tout posséder un contrôle absolument sans faille de son matériel.

Par sa haute technicité et les possibilités qu'il offre d'exprimer une sensibilité personnelle, le métier de producteur est l'un des plus attractifs de l'univers rock contemporain.

Technicien d'enregistrement ou de tournée

Une personne qui écoute un disque ou assiste à un concert rock ne peut savoir combien de petits gestes techniques ont été nécessaires pour obtenir le résultat qu'elle entend.

L'un des métiers du rock est justement consacré à ces petites mises au point, ces déplacements de matériel, ces réglages innombrables sans lesquels ni les enregistrements, ni les concerts ne pourraient atteindre la qualité actuelle.

Dans un studio, il y a une équipe technique qui peut être nombreuse, mais généralement il y a un producteur, deux ou trois techniciens affectés à la console et aux effets, un spécialiste qui prend soin du magnétophone. Un autre technicien peut avoir pour fonction d'utiliser à plein les possibilités de l'informatique musicale. Il surveille alors sur un monitor de contrôle l'exactitude des résultats escomptés. En plus de ce travail il est nécessaire de procéder à des réglages permanents : déplacer des micros, un synthétiseur qui gêne, positionner un pupitre, et surtout faire les branchements qui s'imposent sans confondre les fils !

Ce travail demande beaucoup d'habitude, un grand savoir-faire et un esprit ordonné. Le métier de technicien de studio exige beaucoup de minutie et d'esprit d'initiative.

L'un des temples du rock parisien : le Zénith. Photo Philippe Paraire.

Bien qu'il s'exerce dans un lieu clos, c'est un peu l'aventure tous les jours.

En tournée, l'équipe est très élargie. On y retrouve les fonctions traditionnelles du studio : le producteur, appelé alors chef de sonorisation, dirige les réglages de sa console. Il communique par talkie-walkie avec les autres techniciens. On déplace un amplificateur, on baisse un micro, on change un câble qui ne marche pas, on accorde les guitares, on teste les micros de voix : "Un, deux !... un deux...", "One, two !, one two !.. ". Dans toutes les langues, les techniciens du monde entier vérifient avant l'entrée en scène du groupe la qualité de la sonorisation.

De nos jours, un grand nombre de techniciens sont affectés au *light show*, aux lumières : lasers, flash, lampes au tungstène et au sodium, stroboscopes, tout doit être manié à la main ou télécommandé et programmé.

Des écoles spécialisées préparent des étudiants aux diplômes de "technicien de sonorisation". Cette pratique, qui nous vient des Etats-Unis, ne peut que contribuer à l'amélioration de la qualité des concerts européens. Par exemple, aucun des membres de l'équipe de sonorisation du groupe Pink Floyd n'a été recruté avec un niveau inférieur à celui d'ingénieur du son. Il existe des préparations au B.E.P et au B.T.S., mention "métiers du spectacle".

Peu à peu, l'ancien *roadie* des années 70, musicien d'appoint transformé en bonne à tout faire et en manutentionnaire, laisse la place à un technicien de haut niveau qui doit sans doute "mettre la main à la pâte", sans pour autant cesser d'être un élément indispensable de la chaîne qui mène à un spectacle rock de qualité.

Il suffit d'assister à un grand concert rock pour prendre conscience des progrès accomplis en vingt ans. Un concert rock, aujourd'hui, donne l'image d'une grande concentration de prouesses techniques, d'une extraordinaire maîtrise technologique mises au service de la créativité artistique, pour le plus grand plaisir de l'auditeur-spectateur.

Enseignant

Un certain nombre de musiciens professionnels améliorent leurs revenus à l'aide de cours particuliers donnés à des amateurs désireux de progresser. Cette tradition est ancienne : les plus grands musiciens du passé ont presque tous, à un moment ou à un autre, été des professeurs de musique.

De nos jours, il en est de même. Les écoles de musique sont peu nombreuses, surtout pour ce qui concerne le rock, et de ce fait il est très facile, pour un amateur d'avoir recours aux leçons d'un musicien expérimenté qui lui enseignera les rudiments ou lui apprendra les "plans" (les techniques, les trucs) les plus difficiles des rockers classiques ou contemporains.

Il est certainement possible de faire illusion à la guitare, par exemple, dans la mesure où la connaissance du solfège n'est pas indispensable : pendant bien longtemps, ni le blues ni le rock n'étaient transcrits en notation musicale classique. D'autre part, celle-ci ne peut rendre compte des effets sonores typiques de l'instrument. Les guitaristes rock furent donc et demeurent souvent autodidactes. Ils jouent à l'oreille et sont à peine capables de suivre une grille écrite. Beaucoup de joueurs de blues et de rock ont appris leur technique instrumentale par simple imitation ou grâce aux conseils de professeurs improvisés.

Mais pour trouver un travail régulier dans le monde du rock il faut absolument savoir lire la musique. Aucun studio n'engagera un musicien, guitariste, clavieriste, bassiste ou batteur par exemple, qui ne sache déchiffrer une partition en notation classique.

Il est donc nécessaire que se développent de vraies universités du rock, à l'image de la célèbre *Berklee* qui, aux Etats-Unis, forme des musiciens de rock capables de jouer n'importe quelle partition.

Seuls les amateurs peuvent se contenter des partitions notées en tablatures. Ce système, qui transcrit les notes à l'aide de chiffres sans utiliser le solfège, est aujourd'hui fréquemment couplé avec une cassette vidéo et peut faire d'énormes progrès aux débutants. Il permet par ailleurs aux musiciens professionnels de devenir des "enseignants à distance".

Journaliste

Dès la fin des années 60, une véritable presse rock parvint à fidéliser un public jeune, avide de connaître les groupes en vogue, leurs tournées, les détails de leur vie privée ou professionnelle. Analyses, récits, interviews, photographies, tous les ingrédients de la presse classique, dès lors appliqués au rock, constituèrent une lecture régulière pour un nombre croissant de jeunes, et le phénomène s'amplifia au fur et à mesure que s'affirmait une culture rock.

Dès le début des années 70, on vit paraître les premières

L'atmosphère unique des grands concerts en plein air

grandes études portant sur des créateurs ou des groupes importants. Le rock atteignit alors, grâce au travail de journalistes transformés pour l'occasion en écrivains, la devanture des librairies.

Très tôt aux Etats-Unis et en Angleterre, plus tardivement en France, le rock apparut comme la musique de base des radios thématiques : radios rock n' roll, country mucic, soul, funk, heavy metal, donnèrent naissance dans les années 80 au rock FM. Des journalistes et commentateurs spécialisés, issus de magazines américains comme *Rolling Stone*, *Guitar player* ou *Frets* donnèrent le signal de l'invasion des ondes par le rock. Déjà, dans le courant des années 60, quelques journalistes et animateurs avaient accordé au rock une part importante de leur activité. José Artur, François Jouffa, Daniel Filipacchi, puis Patrice Blanc Francard, Bernard Lenoir et

Philippe Manoeuvre donnèrent à la nouvelle musique des émissions dignes de ce nom, prolongées par des magazines télévisés.

Nous sommes loin aujourd'hui du "Pop club", de "Campus", de "Pop 2", et de "Chorus". "Les enfants du rock" et "Planète rock" ont également disparu des écrans. Mais les radios FM se multiplient. Quoi qu'on en dise, dans la plupart des cas elles font une gros effort pour proposer à leurs auditeurs un programme musical cohérent et les commentaires sont assurés par des journalistes souvent compétents, capables de construire des rétrospectives ou des émissions à thème intéressantes et précises.

De nos jours, en France, un jeune journaliste a tout à fait la possibilité, au sortir de son école, de tenter l'aventure du reportage rock. Avec de l'expérience et un peu de savoir-faire, il pourra en quelques années se spécialiser et avoir la satisfaction de faire un vrai travail d'information, que ce soit dans le cadre d'un magazine ou d'émissions de radio et de télévision.

Imprésario

Mais la musique rock a pour finalité principale le spectacle. Aucun musicien, aucun groupe ne peut survivre sans faire des tournées. La scène demeure le test majeur de la qualité musicale dans le monde du rock.

Les musiciens ont déjà fort à faire avec les enregistrements et la composition de leurs morceaux. Ils ne peuvent s'occuper des détails de la vie commerciale de leur groupe. Les demandes d'autorisation, la recherche des lieux où jouer, la mise au point technique des déplacements en province ou des dates des concerts est du ressort de l'homme à tout faire (au moins en matière commerciale) du groupe.

L'imprésario trouve les salles, discute les contrats, conseille, encourage, sanctionne parfois. Son travail relève autant du commerce, dans ses relations avec l'extérieur, que de la psychologie, lorsqu'il faut trouver des compromis entre les musiciens, fréquemment en conflit.

Les artistes du rock ont une sensibilité souvent difficile. Il n'est guère aisé de faire cohabiter des individualités très marquées. L'imprésario doit veiller sur les intérêts financiers des musiciens et pour cela doit canaliser leurs impulsions et les dynamiser en cas d'échec.

L'imprésario de rock est donc avant tout un cadre commercial, calme et déterminé, capable d'autorité et de compréhension à la fois. Il est nécessaire qu'il croie à la qualité des artistes qu'il défend. Son rôle est toujours déterminant dans l'existence et le succès d'un groupe rock.

Directeur, conseiller artistique

Les grandes maisons de disques ont besoin, pour renouveler leur catalogue, de trouver de nouveaux talents. Les plus importantes maisons d'édition et de distribution sont anglo-américaines. Elles travaillent à la manière anglo-saxonne : on procède d'abord à un "ratissage large", qui donne en théorie sa chance à tout le monde. Puis, lorsqu'un groupe plus talentueux qu'un autre, ou dont l'image, correspond bien, à un moment donné, aux goûts du public, est découvert, il sera le seul à bénéficier des efforts réels de promotion nécessaires au succès.

Ce fonctionnement, qui privilégie les stars et les groupes à image, s'est désormais étendu aux maisons européennes. Barclay, Carrère en France, Philips en Europe travaillent maintenant comme les firmes américaines CBS, Mercury, RCA, Warner, et bien d'autres encore.

Mais qui opère la sélection ?

On pourrait croire, ou espérer, que le destin d'un groupe de musiciens rock se joue de manière rationnelle et que son succès ou son échec soit le fruit d'une longue discussion. En fait, tout repose sur la décision prise, après la première écoute, par le conseiller artistique.

Ce métier est sans doute difficile. Un conseiller artistique, dans une grande maison d'édition phonographique, n'a pas le droit de se tromper. Il y a des prédédents célèbres : on a déjà oublié le nom du directeur artistique qui a conseillé aux Beatles d'arrêter de jouer de la musique... Ceux qui ont refusé de signer avec les Sex Pistols ont dû le regretter amèrement... En revanche, un directeur artistique qui a misé sur Bob Dylan, un autre qui a su imposer Bob Marley ou U2 ne peut que se féliciter de sa clairvoyance.

Il faut dire, à la décharge de cette fonction difficile et décriée, que les conseillers artistiques n'ont souvent, pour juger de la valeur musicale d'un groupe rock, que les maquettes enregistrées que celui ci leur propose. Ces enregistrements sont fréquemment réalisés de manière artisanale ou au mieux semi-professionnelle. Ils ne sont que très rarement l'image fidèle de ce que le groupe peut réellement produire s'il est encadré par une équipe technique professionnelle.

Une fois que le conseiller artistique a écarté une cassette, c'est fini. Il faut aller chercher un contrat ailleurs. Si la maquette est sélectionnée, elle sera écoutée par un groupe critique plus étendu, élargi aux agents commerciaux et aux techniciens de la maison d'édition. Le conseiller artistique ira alors assister à quelques concerts du groupe, organisera un enregistrement test, puis un entretien entre les imprésarios des artistes et les cadres commerciaux de l'entreprise. En cas d'accord, cela peut être le début de la gloire.

Pour un artiste ou un groupe de musiciens rock, tout peut donc se jouer sur la qualité de la maquette. Il est donc capital de comprendre que ce produit doit être réellement original, caractéristique et techniquement parfait. Mieux vaut parfois investir une somme importante en enregistrant une maquette dans un studio professionnel que de s'acheter le dernier ampli ou le dernier synthétiseur à la mode. Le bricolage, en matière d'enregistrement, ne pardonne pas. Les conseillers artistiques n'engagent plus d'artistes incapables de présenter un produit digne de ce nom.

GLOSSAIRE

Boogie Woogie : genre instrumental, en vogue dans les années 40, caractérisé par un accompagnement régulier des basses du piano tandis que la main droite exécute des solos très rapides. Fats Domino et Jerry Lee Lewis ont été des pianistes de boogie woogie avant de jouer du rock.

Break Dance : dance acrobatique accompagnant l'electro funk. En France, on l'appelle *smurf*. Michael Jackson l'a popularisée.

Country Music : genre de musique folklorique du centre et du sud des Etats Unis, dont la capitale est Nashville. Johnny Cash et Dolly Parton en sont les plus célèbres représentants.

Funk, Electro Funk : genre de musique Noire américaine, fortement syncopée dont les initiateurs furent James Brown puis Prince et Michael Jackson.

Gospel Song : musique religieuse des noirs américains, parfois appelée aussi *Negro spiritual*.

Hard Rock, Heavy Metal : genres de musique rock caractérisés par l'utilisation de sons très durs et saturés. Led Zeppelin, Deep Purple puis plus recemment Scorpions ou Motorhead se sont illustrés dans ce style plutôt bruyant.

Punk : le terme désigne l'ensemble de la philosophie, de la musique et de la mode nées en 1977 avec le succès des Sex Pistol et de Clash. Le mot, en anglais, veut dire "voyou".

Rag : genre instrumental des années 30, dont la sophistication mélodique et le rythme sautillant ont influencé les joueurs de jazz et de blues. Scott Joplin fut un grand compositeur de rag.

Rap : genre de funk né à Brooklyn au début des années 80. Rythme très rapide, trucages sonores, mode des patins à roulettes, des casquettes de base ball et des ensembles hifi portables sont représentatifs du rap.

Riff : séquence de notes aisément reconnaissables (par exemple les douze notes de l'introduction de "Satisfaction", des Rolling Stones)

Rythm'n'Blues, Soul Music : genres voisins, très en vogue dans les annés 60. Mélange de jazz, de blues de rock et de musique de variétés. Aretha Franklin et Otis Redding furent les leaders de ce mouvement musical.

Rockabilly : type de rock n' roll rudimentaire popularisé par Elvis Presley en 1954 - 55.

Ska : type de funk jamaïcain, caractérisé par un rythme en saccades ("ska"), ancêtre du Reggae.

Solo : partie instrumentale exécutée par un musicien tout seul.

Surf Music : genre populaire américain, immortalisé par les Beach Boys.

Table des matières

L'auteur remercie Eric Chevallier, Jacky Gordon, Ralph Leleu, Claudio Loporto et Boris Maisonneuve pour lui avoir donné accès à leur collection personnelle d'instruments et de matériels.

L'Editeur tient tout particulièrement à remercier les Maisons de disques qui lui ont très aimablement accordé l'autorisation de reproduire les pochettes de disques.

Island (U2, *Rattle and hum*, page 22), CBS (Bob Dylan, *Mister*, page 10 ; Bob Dylan, *Biograph*, page 37 ; Michael Jackson, *Thriller*, page 23 ; Simon and Garfunkel, *Greatest Hits*, page 41 ; Clash, *London calling*, page 44), Virgin (Sex Pistols, *Never mind the bollocks*, page 43), Phonogram (Dire Straits, *Money for nothing*, page 46) et BMG Ariola (Eurythmics, *Revenge*, page 47).

Dans
la même
collection

de
PHILIPPE
PARAIRE

illustré
par
Elisabeth
Bogaert

Un film, c'est le produit d'un travail dont on ne connaît généralement que les éléments les plus apparents, les interprètes et le réalisateur.

Mais comment devient-on monteur ?
En quoi consiste le travail de la script ?
Où peut-on apprendre à devenir cameraman ?

80 pages, 40 illustrations

pour découvrir la réalité concrète des 25 métiers principaux du monde du cinéma ainsi que les principes essentiels des techniques utilisées.

Imprimé en Italie
par G. Canale & C. S.p.A. - Turin
Dépôt légal : N° 7537-04-90
ISBN : 2-01-016233-1
29-19-1066-01/9
29/1066/